ISBN 978-1-334-57504-4
PIBN 10348581

This book is a reproduction of an important historical work. Forgotten Books uses
state-of-the-art technology to digitally reconstruct the work, preserving the original format
whilst repairing imperfections present in the aged copy. In rare cases, an imperfection in
the original, such as a blemish or missing page, may be replicated in our edition. We do,
however, repair the vast majority of imperfections successfully; any imperfections that
remain are intentionally left to preserve the state of such historical works.

1 MONTH OF
FREE
READING

at

www.ForgottenBooks.com

By purchasing this book you are
eligible for one month membership to
ForgottenBooks.com, giving you
unlimited access to our entire
collection of over 1,000,000 titles via
our web site and mobile apps.

To claim your free month visit:

www.forgottenbooks.com/free348581

PETRUSEVANGELIUM

ODER

AEGYPTEREVANGELIUM?

EINE FRAGE BEZÜGLICH DES NEUENTDECKTEN
EVANGELIENFRAGMENTS

VON

DANIEL VÖLTER
PROF. DER THEOL. IN AMSTERDAM.

———

TÜBINGEN
J. J. HECKENHAUER'SCHE BUCHHANDLUNG
(C. SONNEWALD)
1893.

DRUCK VON H. LAUPP JR. IN TÜBINGEN.

Petrusevangelium oder Aegypterevangelium?

In dem Pergamentcodex, der im Winter 1886/87 aus einem christlichen Grab zu Akhmim (Panopolis in Oberägypten) zu Tage gefördert und jüngst von dem französischen Gelehrten B o u r i a n t [1]) veröffentlicht worden ist, findet sich bekanntlich ein umfangreiches, auf die Leidens- und Auferstehungsgeschichte sich beziehendes, von der Erzählung der kanonischen Evangelien stark abweichendes Evangelienfragment. Da sich in demselben Simon Petrus wiederholt (das eine Mal mit Namen, das andere Mal ohne Namen V. 26 und 60) mit »ich« einführt, so konnte von Anfang an kein Zweifel darüber bestehen, dass dasselbe als Stück eines Petrusevangeliums zu betrachten sei, also wohl des Petrusevangeliums, über dessen Existenz und Charakter wir bei den altchristlichen Schriftstellern einige Mitteilungen finden. Würde nicht in dem Fragment selbst in der angegebenen Weise Petrus als der Erzähler angewiesen, so hätte, glaube ich, kaum Jemand sofort an das Petrusevangelium gedacht, vielmehr müsste wohl der Fundort Aegypten in erster Linie die Frage nahe gelegt haben, ob wir es nicht mit einem Fragment aus dem Aegypterevangelium zu thun haben. Jene Angaben im Texte selbst haben es verhindert, dass bis jetzt überhaupt diese Frage gestellt wurde und doch drängt sie sich von selbst auf, und muss sie auch, wie ich glaube, bejahend beantwortet werden.

---

1) Mémoires publiés par les membres de la mission archéologique française au Caire, t. IX, fasc. 1. Paris, Leroux, 1892.

V ö l t e r, Petrusevangelium.

Der gefundene Text ist sehr der Verbesserung bedürf-
tig. Die editio princeps ist nicht glücklich gewesen, selbst
nicht in der pünktlichen Wiedergabe dessen, was im Ma-
nuscripte steht. Seitdem ist aber durch die vereinigten An-
strengungen deutscher, österreichischer, englischer und fran-
zösischer Gelehrter ein zuverlässiger Text geschaffen worden,
wie er in den Ausgaben von H a r n a c k [1]), Z a h n [2]), R o-
b i n s o n [3]) und S w e t e [4]) vorliegt. Letzterer konnte von
den Ergebnissen Gebrauch machen, die B e n s l y bei einer
Prüfung der Handschrift gewonnen hatte. Von der Ausgabe
von L o d s [5]), dem bereits die zu erwartende Facsimile-
Ausgabe der Handschrift zur Verfügung stand, habe ich
nur aus der Theol. Litteraturzeitung (1893, Nr. 7) Kenntnis.
Um die folgende Untersuchung verständlich zu machen,
lassen wir zunächst eine Uebersetzung folgen, wobei wir,
um Störungen zu vermeiden, der Verseinteilung H a r n a c k's
uns anschliessen. Bei der Untersuchung ist es uns nicht
um eine allseitige Behandlung des Fragments sondern lediglich um die Ueberarbeitungsfrage zu thun, an deren Er-
örterung sich einige Vermutungen über den Ursprung des
Fragments schliessen sollen.

1. Uebersetzung.

1. . . . . Von den Juden aber wusch sich keiner die
Hände, auch nicht Herodes noch einer seiner Richter.
2. Und da sie sich nicht [6]) waschen wollten, stand Pilatus

---

1) A. Harnack, Bruchstücke des Evangeliums und der Apokalypse des
Petrus, Leipzig, Hinrichs, 1893. Soeben in 2. A. erschienen.

2) Dr. Th. Zahn, Das Ev. des Petrus, Neue kirchliche Zeitschrift, 1893,
Heft 2. 3.

3) J. Armitage Robinson and M. R. James, The Gospel according to
Peter and the Revelation of Peter, London, Clay and Sons, 1892.

4) H. B. Swete, The apokryphal Gospel of Peter, revised edit. London,
Macmillan and Co. 1893.

5) A. Lods, L'évangile et l'apocalypse de Pierre etc. Paris, Leroux, 1893.

6) Die Handschrift hat hier eine kleine Lücke. Es ist die Negation
zu ergänzen, da dem Zusammenhang nach den Juden oder einigen von ihnen

auf. Und da befiehlt Herodes der König, dass der Herr weggebracht werde[1]), indem er zu ihnen sagte: »Alles was ich euch befohlen habe, ihm zu thun, das thut«.

3. *Es stand[2]) aber daselbst Joseph, der Freund des Pilatus und des Herrn, und da er wusste, dass sie ihn kreuzigen wollten, gieng er zu Pilatus und bat um den Leib des Herrn zum Begräbnis. 4. Und Pilatus sandte zu Herodes und bat um seinen Leib. 5. Und Herodes sagte: »Bruder Pilatus, auch wenn Niemand um ihn gebeten hätte, würden wir ihn begraben, da ja auch der Sabbat anbricht, denn es steht geschrieben im Gesetz, dass die Sonne nicht untergehen solle über einem Getöteten«.*

Und er übergab ihn dem Volke[3]) vor dem ersten Tag der ungesäuerten Brote, ihres Festes.

6. Die aber den Herrn gegriffen hatten, stiessen ihn im Laufen und sagten: »Vergewaltigen[4]) wir den Sohn Gottes, nun wir Macht über ihn bekommen haben.« 7. Und sie zogen ihm einen Purpurmantel an und setzten ihn auf den Richtstuhl und sprachen: »Richte gerecht, König von Israel.« 8. Und einer von ihnen brachte eine Dornenkrone und setzte sie auf das Haupt des Herrn. 9. Und andere, die dabei standen, spieen ihm ins Angesicht und andere schlugen ihm auf die Wangen und andere stiessen ihn mit einem Rohr und einige geisselten ihn, indem sie sprachen: »Solche Ehre haben wir dem Sohn Gottes erzeigt.«

10. Und sie brachten zwei Bösewichte und kreuzigten in ihrer Mitte den Herrn; er aber schwieg, als ob er durch-

---

nicht zugetraut werden darf, dass sie sich waschen wollten. Nicholson, Academy 17. Dec. 1892, liest οὐ, Murray, Expositor Jan. 1893, (cf. Origenes) μή.

1) Das παρ . . . φθῆναι der Handschrift ist zu ergänzen in παραπεμφθῆναι mit Manchot, Prot. Krtg. Nr. 6. S. 141. cf. Justin, dial. 40.

2) Die Handschrift bietet nicht ἥκει sondern ἱστήκει nach Swete-Bensly.

3) Die der Zeitbestimmung vorhergehenden Worte in 5[b] hat Bouriant übersehen und Bensly zuerst gefunden.

4) Bouriant las in der Handschrift εδρωμεν. Es scheint darin nach Lods (cf. Schürer in der theol. Litztg. a. a. O.) wirklich, wie man bereits mehrfach conjiciert hat, σύρωμεν zu stehen.

aus keinen Schmerz litte. 11. *Und als sie das Kreuz aufgerichtet hatten, schrieben sie darüber:* »*Dieser ist der König von Israel.*« 12. *Und sie legten die Kleider vor ihm hin und verteilten sie und warfen das Los über sie.* 13. *Einer aber von jenen Bösewichten schalt sie und sprach:* »*Wir haben dies des Bösen wegen, das wir gethan, erlitten, dieser aber, der ein Heiland der Menschen geworden ist, was hat er euch Uebles gethan*«*?* 14. Und sie wurden bös auf ihn und befahlen, dass ihm nicht die Beine gebrochen würden, damit er unter Martern sterbe.

15. Es war aber Mittag und Finsternis umfieng ganz Judäa und sie wurden voll Unruhe und Angst, die Sonne sei untergegangen, dieweil er noch lebte. Es steht nämlich für sie geschrieben, die Sonne solle über einem Getöteten nicht untergehen. 16. Und einer von ihnen sagte: »Lasst uns ihm Galle mit Essig zu trinken geben und sie mischten's und gaben es ihm zu trinken. 17. Und sie erfüllten alles und machten auf ihr Haupt die Sünden voll. 18. Viele aber giengen umher mit Fackeln in der Meinung, es sei Nacht, und fielen. 19. Und der Herr schrie auf und sprach: »Meine Kraft, meine Kraft, du hast mich verlassen.« Und als er dies gesagt, ward er aufgenommen.

20. Und in derselben Stunde zerriss der Vorhang des Tempels von Jerusalem in zwei Stücke. 21. *Und da zogen sie die Nägel aus den Händen des Herrn und legten ihn auf die Erde, und die ganze Erde erbebte und es entstand grosse Furcht.* 22. *Da schien die Sonne und es fand sich, dass es die neunte Stunde war.* 23. *Die Juden aber freuten sich und gaben dem Joseph seinen Leib, damit er ihn begrabe, da er Augenzeuge all des Guten gewesen war, das er gethan.* 24. *Er nahm nun den Herrn, wusch ihn, wickelte ihn in ein leinen Tuch und brachte ihn in ein ihm gehöriges Grab, den sogenannten Josephsgarten.* 25. Da erkannten[1] die Juden und die Aeltesten und die Priester, welches

---

1) Bouriant las in der Handschrift ἰδόντες. Nach Swete-Bensly steht γνόντες.

Uebel sie sich selbst bereitet hatten und begannen zu klagen und zu sagen: »Wehe unseren Sünden, genaht hat sich das Gericht und das Ende Jerusalems«.

26. Ich aber mit meinen Genossen war betrübt und zerschlagenen Gemüts verbargen wir uns. Denn wir wurden von ihnen gesucht wie Bösewichte, als wollten wir den Tempel in Brand stecken. 27. Ueber alles dies aber fasteten wir und sassen trauernd und weinend bis zum Sabbat.

28. Als aber die Schriftgelehrten und Pharisäer und Aeltesten bei einander versammelt waren und hörten, dass das ganze Volk murre und sich an die Brust schlage und sage: »Wenn durch seinen Tod diese grössten Wunder geschehen sind, so sehet, welch' ein Gerechter er ist«, 29. da fürchteten sich die Aeltesten und giengen zu Pilatus, baten ihn und sprachen: 30. »Stell' uns Soldaten zur Verfügung, dass sie sein Grab drei Tage lang bewachen, damit nicht seine Jünger kommen und ihn stehlen und das Volk annehme, er sei von den Toten auferstanden und sie uns Uebles zufügen«. 31. Pilatus aber gab ihnen den Hauptmann Petronius mit Soldaten, das Grab zu bewachen, und mit ihnen giengen Aelteste und Schriftgelehrte zum Grab. 32. Und sie wälzten einen grossen Stein mit dem Hauptmann und den Soldaten, alle zusammen, die daselbst anwesend waren, und setzten ihn vor die Thüre des Grabs 33. und siegelten sieben Siegel darauf und schlugen daselbst ein Zelt auf und hielten Wache. 34. In der Morgenfrühe aber, als der Sabbat anbrach, kam eine Volksmenge aus Jerusalem und der Umgegend, um das versiegelte Grab zu sehen.

35. In der Nacht aber, in welcher der Herrntag anbricht, als die Soldaten je zu zwei und zwei auf Wachtposten standen, erscholl eine gewaltige Stimme am Himmel, 36. *und sie sahen die Himmel geöffnet und zwei Männer von dort herabkommen in grossem Glanz und vor dem Grabe stehen*[1]). 37. Jener Stein aber, der vor die Thüre gelegt

---

1) Statt des ἐπίσαντας der Handschrift wird mit Robinson ἐπιστάντας zu lesen sein, nicht mit Diels, dem Harnack folgt, ἐγγίσαντας.

war, wälzte sich von selbst und wich zur Seite, und das Grab öffnete sich, *und die beiden Jünglinge giengen hinein.* 38. Als nun jene Soldaten dies sahen, weckten sie den Hauptmann und die Aeltesten — denn auch sie befanden sich daselbst, um zu wachen. — 39. *Und während sie erzählten, was sie gesehen hatten, sahen sie wiederum aus dem Grab drei Männer herauskommen und die zwei den einen stützen und ein Kreuz ihnen folgen. 40. und das Haupt der zwei bis zum Himmel reichen, das Haupt desjenigen aber, der von ihnen an der Hand geführt wurde, die Himmel überragen. 41. Und sie hörten eine Stimme aus den Himmeln sprechen: »Hast Du den Schlafenden gepredigt«? 42. und als Antwort wurde vom Kreuz her vernommen: »ja«!* 43. Es überlegten nun jene miteinander, ob sie weggehen und dies dem Pilatus anzeigen sollten. 44. Und während sie noch nachdachten, erschienen *wiederum* die Himmel geöffnet und ein Mann, der herabkam und in das Grab hineingieng. 45. Als dies der Centurio und die bei ihm waren sahen, eilten sie des Nachts zu Pilatus, das Grab verlassend, das sie bewachten. Und sie erzählten alles, was sie gesehen hatten, in grosser Angst und erklärten: »Wahrhaftig Gottes Sohn war er.« 46. Pilatus antwortete und sprach: »Ich bin rein vom Blut des Sohnes Gottes, euch aber hat es so gefallen.« 47. Da traten sie alle zu ihm und baten ihn und drangen in ihn, dass er dem Centurio und den Soldaten befehle, nichts zu erzählen von dem, was sie gesehen hatten. 48. »Denn«, sagten sie, es ist uns besser, der grössten Sünde vor Gott schuldig zu sein und nicht in die Hände des Volks der Juden zu fallen und gesteinigt zu werden«. 49. Pilatus befahl nun dem Centurio und den Soldaten nichts zu sagen.

50. In der Frühe des Herrntags aber nahm Maria Magdalena die Schülerin des Herrn — aus Furcht vor den Juden, da sie von Zorn entbrannt waren, hatte sie am Grab des Herrn nicht gethan, was die Frauen zu thun pflegen an den Gestorbenen und an denen, die ihnen teuer sind,

— 51. ihre Freundinnen mit sich und kam zum Grab, wo er gelegt war, 52. *und sie fürchteten, dass die Juden sie möchten sehen und sprachen: »wenn wir auch nicht an jenem Tage, da er gekreuzigt ward, konnten weinen und klagen, so wollen wir dies wenigstens jetzt an seinem Grabe thun. 53. Wer aber wird uns den Stein, der vor die Thür des Grabs gelegt ist, wegwälzen, damit wir hineingehen und uns zu ihm setzen und das Schuldige thun? 54. Denn gross war der Stein, und wir fürchten, dass uns Jemand sehe; und wenn wir es nicht können, und das, was wir mitbringen zu seinem Gedächtnis, vor die Thüre gelegt haben, wollen wir weinen und wehklagen, bis wir nach Hause gekommen sind«.* 55. Und sie *giengen hin und* fanden das Grab offen. Und sie traten hinzu und bückten sich hinein und sahen daselbst einen Jüngling sitzen mitten im Grab, schön und angethan mit einem sehr glänzenden Gewand, der zu ihnen sagte: 56. »Warum seid ihr gekommen? Wen suchet ihr? Doch nicht jenen Gekreuzigten? Er ist auferstanden und weggegangen. *Wenn ihr es aber nicht glaubt, bückt euch herein und sehet den Ort, wo er lag, dass er nicht (da) ist, denn er ist auferstanden und weggegangen dahin, woher er gesandt war«.*

57. Da fürchteten sich die Frauen und flohen. 58. Es war aber der letzte Tag der ungesäuerten Brote und viele zogen weg, um nach Hause zu kehren, da das Fest zu Ende war.

59. Wir aber, die 12 Schüler des Herrn, weinten und waren betrübt, und ein Jeder voll Trauer wegen des Geschehenen kehrte nach Hause. 60. Ich aber Simon Petrus und Andreas mein Bruder nahmen unsere Netze und giengen zum Meer und mit uns war Levi, der Sohn des Alphäus, den der Herr.....

2. Untersuchung der Einheitlichkeit unseres Textes.

Eine nähere Betrachtung des Textes muss alsbald zeigen, dass derselbe so, wie er vor uns liegt, nicht aus einem Gusse, sondern überarbeitet d. h. mit Zusätzen versehen ist. Solch eine Interpolation finden wir zunächst in den Versen 11. 12, 13. Das Subjekt in dem ἔζη V. 15 ist jedenfalls der Herr. Da dieser in V. 15 nicht mehr ausdrücklich genannt ist, muss man auch in V. 14 bei dem ἐπ᾽ αὐτῷ, bei σκελοκοπηθῇ und ἀποθάνῃ an den Herrn denken. Dies verlangt auch die Beziehung, die zwischen V. 14 und Joh. 19, 33 besteht. Bei Johannes werden auch dem Herrn im Unterschied von den beiden Schächern die Beine nicht zerbrochen, allerdings nicht, damit er, wie die Motivierung in unsrem Fragment lautet, unter Martern sterbe, sondern weil er schon tot war. Aber in der Hauptsache stimmen hier das Johannesevangelium und unser Fragment überein, während bei der Beziehung von V. 14 auf den Schächer die seltsame Vorstellung herauskommen würde, dass wohl Jesu und dem einen Schächer die Beine zerbrochen wurden, dem andern Schächer dagegen nicht. Und doch ist diese Vorstellung unausweichlich, wenn man V. 14 an V. 13 sich anschliessen lässt. Schon dies zeigt genugsam, dass hier nicht alles in Ordnung ist. Dazu kommt aber noch ein anderer Grund. Die Verse 11—13 zerbrechen den Zusammenhang zwischen V. 10 und V. 14. Denn V. 14 wird erst recht verständlich durch die Beziehung auf V. 10ᵇ. Dass der Herr am Kreuze schwieg, als ob er keinen Schmerz habe, das macht seine Feinde zornig und bestimmt sie zu der Weisung, dass ihm die Beine nicht gebrochen werden, damit er unter Martern sterbe.

In den Versen 11—13 haben wir es also mit einem Zusatz zu einem älteren Text zu thun, und das ist eine Aufforderung, zu sehen, ob von solcher Ueberarbeitung sich nicht noch mehr Spuren in unserem Texte finden.

In V. 19 finden wir die merkwürdige Stelle: ›Und der Herr schrie auf und sprach: Meine Kraft, meine Kraft, du hast mich verlassen, und als er das gesagt, ward er aufgenommen.‹ Die eigentümliche Wiedergabe des ἠλεί, ἠλεί durch ἡ δύναμις μου, ἡ δύναμις (μου) steht offenbar in Beziehung zu dem ebenso charakteristischen ἀνελήφθη. Beides zusammen ergibt die Vorstellung, dass die göttliche δύναμις in Christus sich vom Körper losmacht und aufgenommen wird in den Himmel. Je nachdem man das Verhältnis dieser göttlichen δύναμις in Christus zu seinem menschlichen oder leiblichen Wesen auffasst, ist das, was am Kreuze bleibt, entweder ein Scheinkörper oder der Mensch Jesus. In dem einen oder andern Fall lassen sich von V. 19 aus mehrere Folgerungen machen in Bezug auf den weiteren Text unseres Fragments.

Ist nach dem Hingang der göttlichen δύναμις in den Himmel nur der Mensch Jesus oder gar bloss ein Schein-körper am Kreuz geblieben, dann muss es auffallen, dass nach V. 21 die Erde gebebt haben soll, als der Körper vom Kreuz abgenommen und auf die Erde gelegt wurde. Es fragt sich also, ob V. 21 ein ursprünglicher Bestandteil des Textes ist. Nun erheben sich gegen die Verse 21—24 aber auch noch von einer andern Seite aus Bedenken, nämlich von V. 25 aus. Wenn es da heisst: »Da erkannten die Juden und die Aeltesten und die Priester, welches Uebel sie sich selbst zugefügt hatten und begannen zu wehklagen und zu sprechen: Wehe unseren Sünden, genaht hat sich das Gericht und das Ende Jerusalems«, so kommen diese Worte hinter V. 24 zu spät und nicht im richtigen Zusam-menhang. Sie müssen ursprünglich auf V. 20 gefolgt sein, denn das Zerreissen des Vorhangs im Tempel (zusammen mit der eingetretenen Finsternis) ist es offenbar, was die Juden an das Nahen des Gerichts und des Untergangs Je-rusalems denken lässt. Die »grössten Zeichen«, von denen in V. 28 die Rede ist, sind durch die Finsternis und das Zerreissen des Vorhangs im Tempel vollkommen erklärt. Man hat dazu das Erdbeben in V. 21 nicht nötig. Dagegen könnte man fragen, ob die Verse 21—24 im Texte entbehrt werden können, da sie die Fortsetzung sind der Verse 3—5. Darauf liesse sich zunächst erwidern, dass diese Fortsetz-ung der Verse 3—5 nicht unmittelbar notwendig war, da in den Versen 3—5 das Begräbnis durch Joseph genugsam angedeutet ist. Allein diese Erklärung dürfte doch kaum befriedigen. Wir müssen vielmehr fragen, ob denn die Verse 3—5 bezw. 3—5ᵃ selbst ursprünglich sind. Und 'diese Frage meinen wir ebenfalls verneinend beantworten zu müssen. Zu dieser Ansicht bestimmen uns die folgen-den Erwägungen. Die Antwort des Herodes giebt in mehrfacher Hinsicht Anstoss. Auf die im Namen Josephs durch Pilatus an Herodes gerichtete Bitte um Auslieferung des Leichnams Jesu zum Begräbnis giebt Herodes zur Antwort: »Bruder Pilatus, auch wenn Niemand um ihn gebeten hätte, würden wir ihn begraben, da ja auch der Sabbat anbricht, denn es steht geschrieben in dem Ge-setz, die Sonne solle nicht untergehen über einem Getö-teten«. Anstoss an dieser Antwort nehmen wir in erster Linie wegen des darin enthaltenen Hinweises auf das Ge-setz, wonach die Sonne nicht untergehen soll über einem Getöteten. Wir finden nämlich nachher in V. 15 diesen Hin-weis wieder. Da wird gesagt, dass die Juden sich äng-stigten, die Sonne sei untergegangen, da er noch lebte, »denn«, heisst es hier, »es steht geschrieben für sie, dass die Sonne nicht untergehen solle über einem Getöteten.« Hier wird also wiederum auf jene Gesetzesbestimmung ge-wiesen und zwar so, als ob sie nicht bereits oben eben-falls angeführt wäre, denn sie wird hier wiederum ausführ-lich mitgeteilt als etwas, was die Leser nicht wissen aber wissen müssen, um die Beklemmung der Juden zu ver-stehen.

Auch die unklare Verbindung zweier Gründe, des Her-annahens des Sabbats einerseits und der gesetzlichen Vor-schrift andererseits, spricht gegen die Ursprünglichkeit von Vers 5 bezw. 3—5ᵃ. Die erste Begründung ist aus Joh. 19, 31, die zweite aus V. 15 unseres Textes. Beide hat der Ueberarbeiter gekannt und zusammengeschweisst.

Sodann aber liegt in V. 5 eine Zeitrechnung vor, die sich von derjenigen, die wir sonst in unserem Texte finden, bestimmt unterscheidet. Das Anbrechen des Sabbats, von dem in V. 5 die Rede ist, kann im Zusammenhang mit der folgenden Begründung: »denn es steht geschrieben im Gesetz, die Sonne solle nicht untergehen über einem Getöteten« nur auf den Beginn des Sabbats am Freitag Abend bezogen werden. In V. 34 dagegen bricht der Sabbat des Morgens an, ebenso wie der Herrntag in V. 35.

So kommen wir notwendig zu dem Schluss, dass jene Antwort des Herodes und darum wohl die Verse 3—5ª überhaupt nicht ursprünglich sind. Bestätigt wird diese Annahme durch den offenbaren Zusammenhang, in welchem V. 5ᵇ: »Und er übergab ihn dem Volk vor dem ersten Tag der ungesäuerten Brote, ihres Fests« mit Vers 2 steht. Das Auftreten des Herodes in V. 2 setzt sich fort und vollendet sich in dem, was er nach V. 5ᵇ thut. Beides gehört unmittelbar zusammen und wenn die Verse 3—5ª diesen Zusammenhang zerreissen, so kennzeichnen sie sich dadurch deutlich als späteren Einschub. Die Verhandlung über die Auslieferung des Leichnams Jesu zum Begräbnis steht ja überhaupt auch an einem sehr auffallenden und seltsamen Platz. Christus ist überhaupt noch nicht gekreuzigt. Der Ueberarbeiter hat offenbar da, wo die Verhandlung hingehört, keinen Raum oder keine günstige Gelegenheit im Texte gefunden, um dieselbe unterzubringen.

Kehren wir nun aber zu V. 19 zurück, so lässt sich von diesem Verse aus noch eine andere Folgerung machen. Ist die göttliche δύναμις in Jesus vom Kreuz weg in den Himmel aufgenommen worden und am Kreuz nur der Mensch Jesus oder gar nur ein Scheinkörper geblieben, dann kann dahinter nicht mehr erzählt werden, dass aus dem geöffneten Grab in Begleitung der beiden himmlischen Gestalten hervorkam einer, dessen Haupt die Himmel überragte. Sehen wir darum die Auferstehungsgeschichte unseres Fragments näher an, so fordert sie ganz von selbst zu einer Unterscheidung von verschiedenen Bestandteilen auf. Da kommen zunächst zwei Männer aus dem geöffneten Himmel, gehen in das Grab, dessen Stein sich wegbewegt

hat und führen, gefolgt von einem Kreuz, einen heraus,
dessen Haupt die Himmel überragt, worauf eine Stimme
vom Himmel fragt: »hast Du den Schlafenden gepredigt«?
und vom Kreuz her die Antwort ertönt: »Ja«! Dann öffnet
sich wiederum der Himmel und kommt ein Mann herab
und geht in das Grab. Diese doppelte Oeffnung des
Himmels und dieses zweifache Herabkommen eines oder
mehrerer Himmelsgesandten erscheint bedenklich und legt
die Frage nahe, ob beides nebeneinander ursprünglich ist.
Die Sache wird noch bedenklicher, wenn man nach der
ersten Erscheinung V. 43 liest: »Es erwogen nun jene miteinander wegzugehen und es dem Pilatus anzuzeigen«,
während es nach der zweiten Erscheinung V. 45 heisst:
»Als das der Centurio und die bei ihm waren sahen, eilten
sie des Nachts zu Pilatus das Grab verlassend, das sie bewachten und erzählten alles, was sie gesehen hatten in
grosser Angst und sprachen: in Wahrheit war er Gottes
Sohn«. Also die erste Erscheinung, obwohl sie weitaus
die bedeutendere, die eigentliche Hauptsache ist, macht
auf die Wachen viel geringeren Eindruck als die zweite.
Die erste lässt die Leute noch zögern und überlegen, die
zweite erst gibt den Ausschlag. Was folgt daraus? Wie
wir meinen dies, dass die erste Erscheinung, so wie wir
sie jetzt in unserem Texte lesen, nicht ursprünglich sein
kann. Die Sache wird sofort anders, wenn wir aus der
ersten Erscheinung alles, was sich auf die Oeffnung des
Himmels, auf das Herabkommen der 2 Männer, auf ihr
Hineingehen in das Grab, ihr Herausführen eines Dritten
und auf das Kreuz bezieht, sowie im Zusammenhang damit das πάλιν in V. 44 streichen. Entfernen wir also
V. 36, die letzten Worte (und die beiden Jünglinge traten
ein) von V. 37 und die Verse 39—42, dann ertönt eine
Stimme vom Himmel, worauf der Stein vom Grab sich
von selbst wegwälzt und zur Seite weicht und das Grab
sich öffnet. Dies gibt den Soldaten den Anlass, um den
Centurio und die Aeltesten zu wecken, worauf zunächst

eine Beratung folgt, oh man weggehen und es dem Pilatus
anzeigen soll. Während sie sich noch besinnen, öffnen sich
die Himmel und kommt ein Mann herab und geht in das
Grab hinein. Nun eilen die am Grab Anwesenden zu Pilatus und erzählen ihm, was sie gesehen hatten.

Auch in dem Schlussstück von V. 50 ab lassen sich
leicht zwei Bestandteile unterscheiden. In V. 51 ist bereits
gesagt, dass Maria Magdalena mit ihren Freundinnen zum
Grabe kam, in V. 55 dagegen wird vorausgesetzt, dass sie
jetzt erst dahin gehen. Das ἦλθεν in V. 51 kann nicht
von derselben Hand stammen wie das ἀπελθοῦσαι in V. 55.
Hinter dem ἦλθεν in V. 51 ist aber überhaupt alles in den
Versen 52—54 Gesagte nicht mehr am Platze. Denn die
da geschilderte Haltung und die da mitgeteilten Gespräche
der Frauen beziehen sich auf die Zeit, ehe oder während
die Frauen zum Grabe giengen. Für das in V. 52—54
Gesagte soll offenbar durch das ἀπελθοῦσαι in V. 55 Raum
geschafft werden, während das ἦλθεν in V. 51 dafür keinen
Raum mehr lässt. Aber nicht bloss dieses ἦλθεν spricht
gegen die Ursprünglichkeit der Verse 52—54 und des
ἀπελθοῦσαι in V. 55. Auch in dem Zwischensatz φοβου-
μένη — ἀγαπωμένοις αὐταῖς in V. 50 ist bereits alles vor-
weggenommen, was in V. 52—54 steht. Die Verse 52 bis
54 sind hinter jenem Zwischensatz nicht bloss überflüssig,
sondern geradezu störend. Wir glauben also die Verse
52—54 und das ἀπελθοῦσαι in V. 55 als nichtursprünglich
streichen zu sollen, so dass demnach auf die Verse 50 und
51 unmittelbar καὶ εὗρον τὸν τάφον ἠνεῳγμένον in V. 55 folgen
würde. Dass in der That die Verse 50, 51 und 55 in dieser
Weise ursprünglich znsammengehören, lässt sich noch aus
Lukas 24, 1. 2 begründen. Denn den Worten in diesen
Versen: ὄρθρου .. ἐπὶ τὸ μνημεῖον ἦλθον .... εὗρον entspre-
chen die in V. 50. 51. 55 unseres Textes: ὄρθρου ... ἦλθεν
... καὶ εὗρον.

Endlich könnten auch noch die letzten Worte von
V. 56 Bedenken erwecken. In der ersten Hälfte von

V. 56 sagt der Engel den Frauen: »er ist auferstanden und weggegangen« (ἀνέστη καὶ ἀπῆλθεν), in der zweiten Hälfte: »er ist auferstanden und weggegangen dahin, woher er gesandt war« (ἀν. κ. ἀπ. ἐκεῖ ὅθεν ἀπεστάλη). Da die Worte ἐκεῖ ὅθεν ἀπεστάλη an der ersteren Stelle fehlen, so kann man sie auch an der zweiten verdächtig finden. Es hat den Schein, dass sie im Zusammenhang stehen mit jener oben besprochenen Ueberarbeitung der Auferstehungsgeschichte, wo der aus dem Grab Herausgeführte, dessen Haupt die Himmel überragt, mit den beiden ihn führenden himmlischen Gestalten allem nach in den Himmel zurückkehrt. Aber auch die Wiederholung von »er ist auferstanden und weggegangen« fällt auf, wie auch die Aufforderung παρακύψατε hinter dem παρέκυψαν in V. 55. Es ist also wohl die ganze zweite Hälfte von V. 56 Zusatz.

3. Der ursprüngliche Text.

Das Evangelium, das uns nach Abzug aller dieser Zusätze bleibt, ist bereits ein Petrusevangelium, denn die Stellen, in denen der Erzähler mit einem »ich« hervortritt und sich selbst als Simon Petrus bezeichnet, gehören dem ursprünglichen Texte an. Und zwar ist ohne Zweifel dieser Text ein ziemlich alter. Er scheint sich seinem Ursprung nach nur erklären zu lassen in einer Zeit, da der evangelische Stoff noch bildungsfähig war, unsere kanonischen Evangelien noch kein absolut autoritatives Ansehen hatten. Freilich kann man auch an bestimmte Kreise denken, in denen man im Unterschied von der Grosskirche in der bezeichneten Richtung volle Freiheit in Anspruch nahm.

Vom Verfasser wird man wohl den Eindruck bekommen müssen, dass er eine selbständige und eigentümliche Erzählung geben will. Darum lässt er in erster Linie so viele Züge, die in unsern kanonischen Evangelien sich finden, weg. Denn dass er diese Züge (ich sage nicht:

Evangelien) sämtlich nicht gekannt haben sollte, ist kaum anzunehmen. Auf der andern Seite bringt er aus demselben Grunde manches Neue und Eigentümliche, was sich freilich eben doch zu einem guten Teil als eine Ausmalung und Ausdeutung von einzelnen in unsern Evangelien überlieferten Zügen darstellt. Aber doch ist weder dort die Willkür noch hier die Phantasie das eigentlich leitende Motiv, vielmehr sind es einige bestimmte Tendenzen, welche die Darstellung beherrschen. Des Näheren lassen sich zwei solche Tendenzen feststellen. Die erste ist die Sucht, die ganze Schuld des Leidens Jesu, alle Gewaltthaten gegen ihn und die Hinrichtung selbst ausschliesslich den Juden aufzubürden und ihre Häupter darzustellen als solche, die, auch nachdem sie durch die Wunder, vornehmlich die Wunder am Grabe, von der Gottessohnschaft Jesu sich haben überzeugen müssen, doch lieber die grösste Sünde vor Gott auf sich laden, als ihrem Volk, dessen Rache sie fürchten, die Wahrheit mitteilen wollen. Dass aus dieser Schuld der Juden gegen Jesus der Untergang Jerusalems zu erklären sei, deutet der Verfasser genugsam an (V. 25). Mit dieser ersten Tendenz hängt es zusammen, dass der Verfasser nur den Pilatus nicht aber auch die Juden, den Herodes und die Richter nach der Verurteilung Jesu sich die Hände waschen lässt, dass er den Herodes, als König der Juden, den Befehl zur Kreuzigung geben, die Juden Jesum wegführen, verspotten und kreuzigen und zur Vermehrung und Vollendung ihrer Schuld ihm nicht die Beine zerbrechen und ihn mit Essig und Galle tränken lässt.

Die andere Tendenz ist die, Jesum als den Sohn Gottes zu erweisen. Es entspricht dieser Tendenz schon, dass der Verfasser nie von »Jesus«, sondern stets vom »Herrn« redet. Der Verfasser will aber die Gottessohnschaft Christi besonders durch seine Darstellung begründen. Alles, was an Christus geschehen ist, ist, das will der Verfasser zeigen, eine Erfüllung dessen, was auf den Sohn Gottes geweissagt ist. Darum wird in V. 17 bemerkt: »Und sie

erfüllten alles« etc. Was der Verfasser die Juden gegen
Jesus thun lässt, ist im allgemeinen die Ausführung des in
Sapientia 2, 10—20 aufgestellten Programms. Die Juden
sind die in Bosheit Verblendeten (2, 21), die den Gerechten
oder Sohn Gottes (2, 10. 12. 16. 18) vergewaltigen, mit Hohn
und Pein foltern, zu schmachvollem Tod verurteilen (2, 10.
12. 19. 20).

Dass der Verfasser an diese Sapientiastelle denkt, wird
besonders deutlich durch den Umstand, dass er die Misshandlung Jesu in V. 6 ff. in das Licht des Schriftwortes stellt:
»Lasst uns vergewaltigen den Sohn Gottes, nun wir Macht
über ihn bekommen haben.« Man glaubt, dass das ein
Citat aus Jes. 3, 10 sei. Ich meine dagegen, dass der Verfasser hier Sap. 2, 10. 12 im Auge hat. Aus der Sapientia-
und nicht aus der Jesajastelle erklärt sich, warum der Verfasser in dem Citat nicht vom »Gerechten«, sondern vom
»Sohn Gottes« spricht. Das σύρωμεν (eigentlich schlei-
fen, dann überhaupt gewaltthätig behandeln, aber nicht
verspotten) entspricht nicht so sehr dem δήσωμεν oder
ἄρωμεν (Justin. dial. 136. 137. Eus. h. e. II, 23, 15) in Jes.
3, 10 als vielmehr dem καταδυναστεύσωμεν in Sap. 2, 10.
Und die Erklärung des δύσχρηστος (Jes. 3, 10 und Sap. 2,
12) durch die Worte ἐξουσίαν αὐτοῦ ἐσχηκότες ist im Zusammenhang der Sapientiastelle (cf. V. 11) noch eher nahe-
gelegt als in dem der Jesajastelle. Möglich, dass auch
schon die Worte des Herodes in V. 2: ὅσα ἐκέλευσα ὑμῖν
ποιῆσαι αὐτῷ, ποιήσατε eine Anwendung und Ausdeutung
des Worts in Sap. 2, 11 sind: ἔστω δὲ ἡμῶν ἡ ἰσχὺς νόμος
τῆς δικαιοσύνης. Heisst das wörtlich: »Es sei aber unsere
Kraft der Gerechtigkeit Mass«, so bedeutet es doch nichts
anderes als: »Lasst uns (in gewaltthätigem Sinn) thun, was
wir nur können«.

Was die einzelnen Akte der Verspottung und Misshandlung betrifft, so weist der charakteristische Zug, dass
die Peiniger des Herrn Recht von ihm fordern auf Jes. 58,
2, welche Weissagung sich hier erfüllt. Ebenso stellen

sich die Backenstreiche, das Anspeien und die Geisselung als Erfüllung von Jes. 50, 6 dar. Wenn der Verfasser bei der Misshandlung Jesu mit dem Rohr den Ausdruck ἔνυσσον (stossen, stechen) statt ἔτυπτον gebraucht, so ist das wohl auch nicht zufällig. Johannes gebraucht den Ausdruck bei der Erzählung vom Lanzenstich (Joh. 19, 34). Vielleicht, dass unser Verfasser dabei an dieselbe Schriftstelle (Sach. 12, 10) gedacht hat, welche Johannes (V. 37), bei dieser Gelegenheit citiert. Doch· muss man hiezu, wie auch zu dem Anspeien und Bekleiden mit dem Purpurmantel, auch Barn. 7 vergleichen, wonach es Brauch war, dass man den Sündenbock anspie, stach und mit scharlachroter Wolle auf dem Haupt in die Wüste stiess. Dass der Verfasser an den Sündenbock als Typus auf Christum denkt, darauf weist ja auch schon das παραπεμφθῆναι in V. 2, das Justin bei der Parallele zwischen dem Bock und Christus (Dial. 40) ebenfalls gebraucht.

Dass der Verfasser sodann bei der Kreuzigung den Zug anführt, dass Jesus inmitten zweier Uebelthäter gekreuzigt worden sei, ist wohl auch mit bewusster Erinnerung an Jes. 53, 12 geschehen.

Endlich soll wohl auch die Angabe, dass dem Herrn die Beine nicht gebrochen wurden und dass er mit Galle und Essig getränkt wurde, als Beweis für die Gottessohnschaft Christi dienen. Denn wenn auch die Juden das eine und das andere thun, um die Qualen des Herrn zu vermehren oder um ihre Ruchlosigkeit voll zu machen, so wird der Verfasser doch in der ersten Thatsache eine Erfüllung von Ex. 12, 46 (cf. auch zu dem βασανιζόμενος V. 14 das βασάνῳ in Sap. 2, 19) und in der zweiten eine Erfüllung von Psalm 69, 22 (cf. auch Barn. 7) gesehen haben.

Die Gottessohnschaft Jesu soll ferner bewiesen werden durch die Wunder, die beim Tod Jesu und bei der Auferstehung geschehen sind, sowie durch den Eindruck, den die Heiden, Pilatus, der Centurio und seine Soldaten wie die Juden und zwar nicht bloss das Volk sondern selbst die Häupter desselben unwillkürlich bekommen und von dem sie, sie mögen wollen oder nicht, Zeugnis ablegen müssen (cf. V. V. 25. 28. 45. 46. 48).

Besonders aber will der Verfasser durch die Schilderung der Haltung Jesu selbst und die Andeutungen, die er scheinbar ganz objektiv über sein Wesen macht, die Gottessohnschaft desselben sicherstellen. Dabei kommt in erster Linie in Betracht die Angabe, dass Jesus, als er gekreuzigt war, schwieg, als ob er durchaus keine Pein habe (V. 10). Matthäus (26, 63) und Marcus (14, 61) lassen Jesus schweigen gegenüber den falschen Anklagen, die gegen ihn erhoben wurden. Vom Gekreuzigten erzählen sie und die kanonischen Evangelien überhaupt nichts Derartiges. Es scheint, dass unser Verfasser das ἐσιώπα des Matthäus und Marcus hierher versetzt hat, weil es ihm hier bessere und wichtigere Dienste zu leisten schien. Geleitet wird der Verfasser dabei sein von Jes. 53, 7 und speziell noch von den Worten des Septuagintatextes in Jes. 53, 4: καὶ ἡμεῖς ἐλογισάμεθα αὐτὸν εἶναι ἐν πόνῳ καὶ ἐν πληγῇ καὶ ἐν κακώσει [1]). Es ist bezeichnend, dass auch unser Text den Ausdruck πόνος gebraucht. Der Sinn der alttestamentlichen Stelle ist aber ein ganz anderer als der unseres Textes. Dort ist gesagt, dass man in dem leidenden Gottesknecht eben nichts anderes als den (von Gott) Gepeinigten gesehen habe, unser Verfasser giebt, das ἐλογισάμεθα κ. τ. λ. in seiner Weise ausdeutend, dem Text in Anwendung auf den Herrn den Sinn, dass dieser thatsächlich durchaus keinen Schmerz empfunden habe. Hier ist die Tendenz unseres Verfassers mit Händen zu greifen. Der Gottessohn ist nicht leidensfähig, und eben indem sich der Herr über das Leiden erhaben zeigt, beweist er sich als den Gottessohn.

Dieselbe Absicht nehmen wir im Folgenden wahr. Matthäus und Marcus erzählen, dass man schon beim Beginn der Kreuzigung den Versuch gemacht habe, dem

---

1) cf. Zahn a. a. O. Heft 2. S. 172.

Herrn Wein mit Galle vermischt (Mtth. 27, 34) oder Wein mit Myrrhen (Mrc. 15, 23) zu trinken zu geben, einen betäubenden Trank, den er ablehnte. Nachher lassen alle 4 kanonische Evangelisten den Herrn am Kreuz mit Essig getränkt werden. Und zwar entspricht diese Tränkung bei Matthäus (27, 48), Johannes (19, 29) und Marcus (15, 36) einem direkt oder indirekt bezeugten Bedürfnis Jesu. Nur Lucas (23, 36) lässt diese Tränkung zu seiner Verspottung geschehen und über Lucas geht nun unser Text noch hinaus, indem er die Tränkung Jesu geradezu als eine Vergiftung Jesu darstellt, die sich erklären soll aus der Furcht der Juden, die Sonne sei untergegangen, während er noch lebte. Darum macht der Verfasser aus der Tränkung mit Essig, die beiden Tränkungen bei Matthäus kombinierend und nach dem Vorbild von Psalm 69, 22 eine Tränkung mit Galle und Essig, denn χολή — der Hauptbestandteil der Tranks — bedeutet, worauf Zahn gewiesen, bei den LXX vielfach (Deut. 29, 18; Jer. 8, 14; Hiob 20, 15) geradezu Gift. Um jeden Gedanken an ein Bedürfnis Jesu auszuschliessen und die Vergiftung Jesu durch den Trank völlig deutlich zu machen, setzt denn auch unser Verfasser diese Tränkung vor das einzige und letzte Kreuzwort, das Jesu spricht, also unmittelbar vor das Ende und hebt durch die Worte: »Und sie erfüllten alles und vollendeten auf ihr Haupt die Sünden«, die Grösse der Ruchlosigkeit, die die Juden mit jener Tränkung begangen, noch besonders hervor.

Der Verfasser ist also hier jedenfalls bestrebt, den Schein zu zerstreuen, als ob die Tränkung Jesu am Kreuz der Stillung eines Bedürfnisses Jesu gegolten habe. Auch dieses Bestreben entspringt dem Interesse, den Herrn als nicht leidensfähig und damit als Gottessohn darzustellen.

Dass Jemand, der den Herrn als nicht leidensfähig darstellt, ihn auch nicht in gewöhnlichem Sinn sterben lassen kann sondern von dem Sterben eine besondere Vorstellung haben muss, ist natürlich. Diese Annahme bestätigt sich denn auch durch V. 19, die Stelle, mit welcher der Verfasser den Hauptbeweis für die Gottessohnschaft Jesu führt und zugleich seine Auffassung derselben näher zu erkennen giebt. Die Worte, die wir hier lesen: καὶ ὁ κύριος ἀνεβόησε λέγων· ἡ δύναμίς μου, ἡ δύναμις κατέλειψάς με, καὶ εἰπὼν ἀνελήφθη stehen in enger Beziehung zu den Worten bei Matth. 27, 46: περὶ δὲ τὴν ἐνάτην ὥραν ἀνεβόησεν ὁ Ἰησοῦς φωνῇ μεγάλῃ λέγων· ἡλεί! ἡλεί λεμὰ σαβαχθανεί; τοῦτ᾽ ἔστιν· θεέ μου, θεέ μου ἱνατί με ἐγκατέλιπες; und Matth. 27, 50: ὁ δὲ Ἰησοῦς πάλιν κράξας φωνῇ μεγάλῃ ἀφῆκεν τὸ πνεῦμα.

Dass Jesus am Kreuz die Worte gesprochen haben soll, die wir bei Matthäus (cf. Marcus) finden, Worte, die eine Klage und dazu noch die Klage der Gottverlassenheit enthalten, kann unser Verfasser nicht annehmen, das scheint ihm im Widerspruch zu stehen mit der Thatsache der Gottessohnschaft Jesu und damit absolut nicht zu reimen. Aber was hat Jesus dann gesprochen? Geht man von Matth. 27, 50 aus, urgiert die Worte ἀφῆκεν τὸ πνεῦμα und fasst das πνεῦμα in spezifischem Sinn nicht als Lebensgeist sondern als hl. Geist, dann kommt man zu der Vorstellung, dass das πνεῦμα Christum am Kreuz verlassen habe und dass damit der Tod eingetreten sei.

Hat unser Verfasser aus Matth. 27, 50 — ich sage damit nicht, dass er unsern Matthäus vor sich hatte — diese Ansicht herausgelesen, dann lag es für ihn nahe, nach dieser Richtschnur auch jenes Kreuzeswort Jesu aufzufassen. Der Verfasser braucht ja gerade nicht sehr viele sprachliche Kenntnisse besessen zu haben, um den Versuch machen zu können, dem ἡλεί, ἡλεί des Matthäus einen andern, nach seiner Ansicht besseren Sinn abzugewinnen. Leitete er es von חיל ab, dann ergab sich ganz von selbst die Uebersetzung δύναμίς μου, aber auch von אל aus liess sich eine solche Uebersetzung rechtfertigen [1]). Die LXX übersetzen

---

1) Zu der Uebersetzung des Kreuzwortes seitens unseres Verfassers cf. die Mitteilungen verschiedener Gelehrten bei Harnack S. 58. 59 u. Zahn a. a. O. S. 174 ff.

אל zwar nur einmal Neh. 5, 5 mit δύναμις. Aber es ist bezeichnend, dass nicht bloss Aquila Psalm 22, 2 übersetzt hat: ἰσχυρέ μου, ἰσχυρέ μου sondern noch viel mehr, dass Eusebius, der wahrscheinlich in Palästina geboren und Bischof von Caesarea war, der Landessprache also nicht unkundig gewesen sein kann, ἰσχύς μου, ἰσχύς μου für die genauere Uebersetzung erklärt. Kein Zweifel also, wenn Jemand das Kreuzeswort anders übersetzen bezw. deuten zu müssen meinte, als es bei Matthäus der Fall ist, dann lag keine andere Uebersetzung näher als diejenige, welche unser Text bietet. Und diese Uebersetzung entsprach ganz den Bedürfnissen unseres Verfassers. Die δύναμις konnte er auf die dem Herrn innewohnende göttliche Kraft, auf das göttliche πνεῦμα beziehen und so den Herrn durch seine eigenen Worte bezeugen lassen, dass die den Gottessohn konstituierende göttliche δύναμις dem Tode nicht erlegen, von ihm völlig unberührt geblieben ist. Der Verfasser hatte dazu nichts weiter mehr nötig, als dass er dem Kreuzeswort die Frageform abstreifte und es in behauptender Form gesprochen sein liess.

Im Augenblick, da die göttliche δύναμις den Leib verlässt, erliegt dieser dem Leiden. Die göttliche δύναμις selbst aber kehrt natürlich in den Himmel zurück. Dies drückt unser Verfasser denn auch aus durch das ἀνελήφθη. Derjenige von dem dies gesagt wird, scheint allerdings der zu sein, den die göttliche δύναμις bereits verlassen hat. Dennoch kann das ἀνελήφθη zunächst seinem unmittelbaren Sinn nach (cf. Marc. 16, 19) auf nichts anderes als auf die Rückkehr der göttlichen δύναμις in den Himmel bezogen werden. Denn das leibliche oder menschliche Wesen des Herrn bleibt ja zunächst noch am Kreuz und wird dann begraben. Aber was ist nun das, was am Kreuze bleibt und begraben wird? Wenn man in Betracht zieht, dass das Ende des Herrn durch nichts anderes bezeichnet wird als durch das ἀνελήφθη und dass dies auf das Emporsteigen der göttlichen δύναμις in den Himmel sich bezieht, so könnte man auf den Gedanken kommen, dass der Leib, der am Kreuze bleibt, nur ein Scheinleib oder eine wesenlose Hülle ist, während die Person des Herrn selbst durch jene δύναμις konstituiert war. Allein dieser Auffassung steht die Thatsache im Wege, dass am Kreuze ein Subjekt bleibt, das sich jenes Verlassenwerdens durch die höhere δύναμις bewusst wird und diesem Bewusstsein noch in Worten Ausdruck geben kann. Es ist also ein Mensch, der am Kreuze bleibt, aber allerdings sofort, nachdem ihn jene δύναμις verlassen hat, dem Leiden erliegt. Man darf nun aber darum nicht annehmen, dass der Verfasser mit dem ἀνελήφθη bloss den Tod dieses noch am Kreuze bleibenden Menschen habe andeuten wollen. Wäre dies der Fall, dann hätte er dazu den ungeschicktesten Ausdruck gewählt. Die Sache ist wohl die: Der Verfasser, der in Christus ein Doppelwesen sah, stand, als es darauf ankam, das Ende des Herrn auszudrücken, vor einer Schwierigkeit. Er wollte nicht sagen, das Göttliche gieng in den Himmel, das Menschliche starb, sondern er wollte das Ende der ganzen Person mit einem Ausdruck bezeichnen. Darum wählte er das Wort ἀνελήφθη. Das deutete in erster Linie die Aufnahme des oberen Christus in den Himmel an, zugleich aber das Ende der Person überhaupt.

Die Christologie, die sich aus den besprochenen Stellen ergiebt, kann man nicht anders als eine doketische bezeichnen. Sie ist allerdings nicht in dem Sinn doketisch, dass Christus bloss einen Scheinleib gehabt hätte, wohl aber in dem Sinn, dass er nicht wirklich gelitten hat und nicht nach seinem ganzen Wesen wirklich gestorben ist. Nur der Mensch erliegt, nachdem die göttliche δύναμις ihn verlassen hat, dem Tode. Der Sohn Gottes ist nach unserem Verfasser ein aus dem höheren pneumatischen Christus und einem Menschen bestehendes Doppelwesen. Der letztere stirbt und ist dann das Subjekt der Auferstehung.

4. Die Zusätze zum ursprünglichen Text.

Die Zusätze haben zunächst den Charakter der sach-
lichen Ergänzung des ursprünglichen Textes. Dies gilt
von allen ohne Ausnahme. Doch tritt schon in den Versen
21—24 und noch mehr in den Zusätzen innerhalb der Verse
36—44. 56 eine veränderte christologische Vorstellungsweise
zu Tage. Wenn nach V. 21 die Erde erbebte, als der Leib
des Gekreuzigten auf diese gelegt wurde, so kann der Leib
natürlich nicht, wie man nach dem ursprünglichen Text
annehmen muss, des Göttlichen entleert sein. Das Göttliche
muss vielmehr noch darin anwesend sein. Diese Auffassung
wird bestätigt durch die Zusätze in den Versen 36—44.
Zwei Männer kommen da vom Himmel herab in strahlen-
dem Lichtglanz, gehen in das Grab hinein und führen aus
demselben heraus einen Dritten, während ein Kreuz ihnen
folgt. Das Haupt der zwei reicht bis zum Himmel, das
Haupt des Geführten aber überragt die Himmel. Und eine
Stimme vom Himmel fragt: »Hast Du den Schlafenden gepredigt«? worauf als Antwort vom Kreuz her vernommen
wird: »ja«! Der von den beiden himmlischen Gestalten Geführte, dessen Haupt, während er noch auf Erden ist, bereits die Himmel überragt, ist der Sohn Gottes, der sich
hier von Gott selbst nicht unterschieden zeigt [1]). Durch
das Gestützt- und Geführtwerden sollen die beiden himmlischen Gestalten wohl nur als seine dienstbaren Geister
dargestellt werden, wie ja ihre Unterordnung auch dadurch
angedeutet ist, dass ihr Haupt bloss bis zum Himmel ragt.
Weil nun aber der Geführte Niemand anders als Gott ist,
kann auf die Stimme vom Himmel natürlich nicht der Geführte selbst antworten.

Wer aber sollte dann antworten? Es bleibt nichts
übrig, als an die σάρξ Christi zu denken, an die fleischliche

---

1) Es ist bezeichnend, dass auch bei der Theophanie Gen. 18, 2 drei
Männer auftreten d. h. Gott mit 2 Begleitern.

Hülle, die menschliche Erscheinungsform, in der Christus erschienen war und gelitten hatte. Diese hat der Herr mit der Auferstehung abgelegt. Aber sie folgt ihm nach in der Gestalt des Kreuzes, das den einst Gekreuzigten repräsentiert. Oder sollte man bei dem Kreuz an den ὅρος zu denken haben, die begrenzende Kraft Gottes, die bei den Valentinianern in Kreuzesgestalt über dem Gekreuzigten schwebt? Dieses Kreuz nun, das allein noch an die zurückliegende Periode des Leidens und Sterbens erinnert, muss darum auf die Frage: hast Du den Schlafenden gepredigt? antworten: Ja! Jene Frage selbst aber und der darin enthaltene Gedanke der Predigt des Erlösers in der Unterwelt hängt mit der Vorstellung, dass Gott selber in Christus erschienen ist, aufs engste zusammen. Denn von Gott selbst konnte man doch nicht annehmen, dass er einige Zeit still im Grabe geruht habe. Man musste ihn auch in dieser Zeit wirken lassen und dieses Bedürfnis ist hier befriedigt durch den Gedanken der Höllenfahrt und Unterweltspredigt. Dass dies ein dem Petrusevangelium von Hause aus eigener Gedanke sei, lässt sich aus dem ersten Petrusbrief nicht begründen. Denn dass die betreffenden Stellen 3, 18[b] bis 22 und 4, 6 Interpolationen sind, lehrt ein einfacher Blick auf den Text.

Bei den Zusätzen innerhalb unseres Textes scheinen wir es also nicht bloss mit doketischen, sondern mit monarchianisch-modalistischen Vorstellungen zu thun zu haben. Die Beschreibung des aus dem Grabe Geführten, dessen Haupt, während er noch auf Erden ist, die Himmel überragt, die Thatsache, dass auf die Himmelsstimme nicht er antwortet sondern das Kreuz d. h. die σάρξ, und dass diese σάρξ völlig getrennt von ihm ist, ihm folgt wie ein abgelegtes Kleid, das nur noch symbolische Bedeutung hat, dürfte unsere Auffassung hinlänglich rechtfertigen.

Die christologische Auffassung, die in der Ueberarbeitung unseres Textes zu Tage tritt, scheint unter dem Einfluss derjenigen des Johannesevangeliums zu stehen.

5. Vermutungen über den Ursprung unseres Fragments.

Unser Text will in seiner ursprünglichen wie in seiner überarbeiteten Form einem Petrusevangelium zugehören und wir haben daher allen Grund, denselben mit dem Petrusevangelium in Zusammenhang zu bringen, über das uns Eusebius auf Grund eines Schreibens des antiochenischen Bischofs Serapion [1]) (c. 200 p. Chr.) einige Mitteilungen macht.

Wir hören da das Folgende. Serapion hatte bei einem Besuch der Gemeinde zu Rhossus einigen Leuten, denen der Ausschluss des Petrusevangeliums aus dem Gebrauch der Gläubigen ein Anstoss war, dasselbe zur privaten Lekture gestattet. Später als er über die häretische Richtung dieser Personen unterrichtet worden war und von dem Evangelium selbst nähere Einsicht genommen hatte, sah er sich genötigt, seine Erlaubnis zurückzuziehen. Bezüglich dieser näheren Einsicht, die er von dem Petrusevangelium genommen, schreibt Serapion: ἐδυνήθημεν γὰρ παρ' ἄλλων τῶν ἀσκησάντων αὐτὸ τοῦτο τὸ εὐαγγέλιον, τουτέστι παρὰ τῶν διαδόχων τῶν καταρξαμένων αὐτοῦ, οὓς Δοκητὰς καλοῦμεν, (τὰ γὰρ πλείονα φρονήματα ἐκείνων ἐστὶ τῆς διδασκαλίας), χρησάμενοι παρ' αὐτῶν, διελθεῖν, καὶ εὑρεῖν τὰ μὲν πλείονα τοῦ ὀρθοῦ λόγου τοῦ Σωτῆρος, τινὰ δὲ προσδιεσταλμένα, ἃ καὶ ὑπετάξαμεν ὑμῖν. Der Satz ist nicht ohne Schwierigkeiten. Zunächst fragt es sich, auf wen sich der Relativsatz οὓς x. τ. λ. bezieht, ob auf die διάδοχοι oder die καταρξάμενοι. Ohne Zweifel auf die ersteren. Dafür spricht auch das χρησάμενοι παρ' αὐτῶν. Worauf bezieht sich aber dann der Zwischensatz τὰ γὰρ πλείονα φρονήματα x. τ. λ.? Wir meinen auf das Petrusevangelium. Der Satz soll offenbar begründen, inwiefern die Doketen die Nachfolger derer sind, die das Petrusevangelium eingeführt haben. Die Erklärung besteht darin, dass die meisten

---

1) Eus. h. e. VI, 12. In der Auffassung der Stelle stimme ich überein mit Zahn, Gesch. d. Kanons II, 632—641. 744 ff.

Gedanken des Petrusevangeliums selbst der Lehre der Doketen angehören oder mit ihr übereinstimmen. Dies steht nicht im Widerspruch mit dem, was Serapion nachher von dem Petrusevangelium sagt, dass nämlich das Meiste darin der rechten Lehre des Erlösers angehöre, etliches aber an Verordnungen hinzugefügt sei. Eben in diesen Zuthaten sind die besondern Lehrgedanken des Evangeliums zu suchen, von denen die meisten doketischer Art sind. Was davon nicht direkt doketisch war, war wohl enkratitisch. Denn auf eine solche mit der doketischen eng zusammenhängende enkratitische Tendenz des Petrusevangeliums lässt sich schliessen von der Angabe des Origenes [1]) aus, dass dasselbe erzählt habe, die Brüder Jesu seien nicht Söhne der Maria sondern Söhne Josephs aus einer früheren Ehe gewesen.

Das Petrusevangelium war also nach Serapion zu seiner Zeit bei den Doketen in Antiochien im Gebrauch. Und da auch unser Fragment doketische Vorstellungen enthält, so ist nicht zu zweifeln, dass das Petrusevangelium der Doketen in Antiochien eben dasjenige war, zu dem unser Fragment gehört. Freilich entsteht nun sofort die Frage, ob jene Doketen unsern Text bezw. das Petrusevangelium überhaupt in der ursprünglichen oder in der überarbeiteten Form gekannt haben. Das lässt sich von den Angaben des Serapion aus nicht entscheiden. Doketische Ansichten enthält unser Text in beiden Formen.

Jedenfalls ist nun aber das Petrusevangelium nicht unter den antiochenischen Doketen entstanden. Eingeführt ist es nach Serapion durch andere, die er zu den Doketen seiner Zeit ins Verhältnis setzt, indem er sagt, die letzteren seien die Nachfolger jener (nämlich im Gebrauch des Petrusevangeliums und in der durch dasselbe bezeichneten Richtung) gewesen. Wenn Serapion um 200 die Doketen in Antiochien eine zeitgenössische

---

[1]) Tom. X, 17 in Matth. Delarue III, 462.

Erscheinung nennt, über deren Anfang er zurücksieht auf eine
ältere Richtung, deren Nachfolger die Doketen sind, wenn
ferner Clemens von Alexandrien im 3. Buch seiner Stro-
mateis [1]), also ebenfalls um 200, einen gewissen Cassianus,
dessen Name schon auf Antiochien weist [2]), den Anfänger
der Dokese (ὁ τῆς δοκήσεως ἐξάρχων) nennt, dann reicht
wohl der Ursprung dieser Doketen nicht weit über's Jahr 200
zurück. Jener Cassian ist nach Clemens aus der Schule
Valentins (130—160) hervorgegangen. Vielleicht also dass
um 160 oder 170 Cassian und die Doketen sich erhoben
haben. Noch weiter zurück würde die Entstehung des
Petrusevangeliums liegen. Aber wieweit hat man mit
unserem Text, speziell mit unserem Text in seiner ursprünglichen Form zurückzugehen? In Antiochien war unter Hadrian
Saturnin der Vertreter einer dualistischen, schroff doketischen, enkratitischen und antijudaistischen Gnosis. Aus
Saturnins unmittelbarer Umgebung kann aber das Petrusevangelium nicht hervorgegangen sein. Denn sein Doketismus und Enkratismus ist gegenüber demjenigen Saturnins
entschieden gemässigt. Ersteres zeigt schon unser Text,
beides jene Angabe des Origenes. Wenn im Petrusevangelium stand, dass die Brüder Jesu Söhne Josephs aus einer
früheren Ehe waren, so ist damit doch die Geburt Jesu
aus der Maria zugestanden, auch die Ehe trotz des enkratitischen Zugs, der sich in der Notiz offenbart, immer noch
zugelassen. In beiden Beziehungen huldigte Saturnin schrof-
feren Ansichten.

Mehr unmittelbare Verwandtschaft scheint das Petrusevangelium bezw. unser Text mit dem Valentinianismus
speziell dem anatolischen zu haben [3]). Nicht bloss ist der
Enkratismus und Antijudaismus dieser Schule wie im Petrusevangelium viel weniger schroff als bei Satornil, auch

---

1) III, 13. ed. Potter p. 552.
2) Zahn, Gesch. des Neutestl. Kanons, Erlangen und Leipzig, Deichert
1892, II, 2, S. 635 f. Anm. 3.
3) cf. Zahn. a. a. O. Heft 3. S. 215 ff.

in Bezug auf den Doketismus ist dies der Fall. In der Christologie tritt selbst, wenigstens was einzelne Hauptzüge angeht, eine auffallende Uebereinstimmung zu Tage. Auch nach den anatolischen Valentinianern hat der obere Christus den psychischen Messias unmittelbar vor dem Tode verlassen und ist es der letztere, der stirbt und aufersteht (cf. Clem. Al. Epit. e Theodoto 61).

Ob diese Berührung ausreicht, um die Annahme zu rechtfertigen, dass das Petrusevangelium unmittelbar in den Kreisen dieser anatolischen Valentinianer entstanden sei, ist eine andere Frage. Jene Exzerpte des Clemens aus Theodot weichen in der Darstellung der Leidensgeschichte speziell durch Verwertung weiterern evangelischen Materials von unserem Texte mehrfach ab (Epit. 1. 42. 61. 62). Und diese Differenzen sind nicht die einzigen. Es finden sich noch mehr. Nach den Exzerpten des Clemens kehrt der psychische Messias nach der Auferstehung zurück an den »Ort« (der Mitte) und nimmt hier einer höheren Auferstehung gewärtig zur Rechten des Demiurgen Platz (Epit. 38 und 62 cf. 59. 60). Dass man unserem Text eine solche Auffassung unterlegen dürfe, ist doch sehr zu bezweifeln. Das Petrusevangelium wird nicht aus den Kreisen der anatolischen Valentinianer herzuleiten sein. Eher werden diese das Petrusevangelium gekannt und neben andern Evangelien gebraucht haben.

Den Ursprung des Petrusevangeliums wird man sich wohl überhaupt nicht als einen eigentlich häretischen zu denken haben. Doketische Gedanken lagen im 2. Jahrhundert in der Luft, und ehe die Gnosis ihnen den Stempel der Härese aufdrückte, wird man auch in kirchlichen Kreisen hier und dort aus apologetischen Gründen zu doketischen Vorstellungen sich hingeneigt haben. So scheint es im ursprünglichen Text unseres Fragments sich zu verhalten, wo die doketischen Vorstellungen lediglich dem Interesse der Verteidigung der Gottessohnschaft Christi dienen. Vielleicht hatte man diese speziell gegenüber jüdischen Angriffen zu verteidigen, so dass sich von da aus auch der Antijudaismus unseres Textes, der übrigens die Anerkennung des alten Testaments (cf. V. 15 und 17) nicht ausschliesst, erklären würde. Die Auffassung des alten Testaments scheint nach V. 15 die zu sein, dass es zwar hl. Schrift ist, aber dass ein Teil seiner Vorschriften oder das Gesetz überhaupt im Unterschied von der Weissagung nur den Juden gilt (cf. Barn. 1, 7).

Wir möchten den Ursprung unseres Textes d. h. des Grundbestandes unseres Fragments vor der Blütezeit der Gnosis suchen, dabei selbst bis in den Anfang des 2. Jahrhunderts zurückgehen. Was seinen Geburtsort betrifft, so könnte man an Syrien denken. Allein das Serapionzeugnis beweist in dieser Beziehung gar nichts. Ueber den Ursprung des Petrusevangeliums weiss er offenbar nichts Bestimmtes.

Der Petrusname zeugt auch nicht bestimmt für Syrien oder Antiochien. Petrus war für die ganze Kirche eine hohe Autorität und neben Antiochien konnten auch noch andere Kirchen diesen Apostel besonders für sich in Anspruch nehmen.

Wegen der eigentümlichen Uebersetzung des Kreuzwortes braucht man auch nicht gerade an Syrien zu denken. Leute, die soviel Sprachkenntnisse hatten, um eine solche Uebersetzung vorzunehmen, waren unter den alten Christen sicher auch anderswo anzutreffen. Wir möchten eher annehmen, dass unser Text in Aegypten entstanden ist.

Aegypten, Alexandrien ist der klassische Boden der Auseinandersetzung mit dem Judentum, des Antijudaismus (Barnabasbrief). Da darf man auch Leute voraussetzen, die genug Hebräisch verstanden, um jenem Kreuzwort eine ihnen passende Uebersetzung geben.

In Aegypten, dessen Hauptstadt Alexandrien in dem Petrusschüler Marcus ihren ersten Bischof verehrte, scheint man sich für Petrusschriften überhaupt besonders interessiert zu haben. Da tauchen zuerst die Apokalypse des Petrus

und das Kerygma des Petrus auf [1]). Da ist am wahrschein-
lichsten ihre Heimat wie auch die des zweiten Petrusbriefs [2])
zu suchen. Das alles ist der Annahme günstig, dass auch
das Petrusevangelium in Aegypten entstanden sei.

Indem wir diese Annahme näher zu begründen suchen,
weisen wir in erster Linie auf das Verhältnis, in dem
der Barnabasbrief zu unserem Texte steht. Der Barnabasbrief ist ein Schriftstück, das jedenfalls in Aegypten
heimisch ist. Der Brief ist jedoch nicht aus e i n e m Gusse.
Für die ältesten Bestandteile halte ich: 1, 1—5. 7. 8; c. 2;
c. 3; 4, 1—4. 6—8; 5, 1—4; 9, 4—6 (ausser dem letzten
Sätzchen); 15, 1. 2. 6 (von εἰ οὖν an) 7—9; 16, 1. 2. 5—10 [3]).
Wann der ursprüngliche Brief geschrieben worden ist, lässt
sich schwer bestimmen. Von 4, 4 aus kann man auf die
Zeit Vespasians schliessen, doch ist diese Berechnung durchaus unsicher. Was in dem ursprünglichen Brief von evan-
gelischer Ueberlieferung vorkommt, ist von der Art, dass
man sieht: die kanonischen Evangelien sind jedenfalls die
Quelle des Verfassers nicht gewesen. Liesse sich auch
das Citat am Schluss von c. 4 aus Matthäus (22, 14 cf. 20, 16)
ableiten, so ist doch schon die Berührung von Barn. 4, 3
mit Matth. 24, 6. 7. 22 und Mrc. 13, 7. 8. 20 viel weniger
eng und ist die am Schluss von c. 15 angedeutete Vorstellung von der Auferstehung und Himmelfahrt eine den
kanonischen Evangelien gegenüber durchaus eigentümliche,
sofern da gesagt wird, dass Jesus am achten Tage auferstanden und, nachdem er sich gezeigt, in den Himmel ge-
fahren sei. Gerade in diesem Punkte berührt sich nun
aber der Barnabasbrief mit unserem Text, sofern hier der
Auferstehungstag identisch zu sein scheint mit dem letzten
Tag des Festes, an dem die Jünger nach Galiläa giengen
und dort eine Erscheinung des Herrn hatten, und sofern

---

1) Bei Clemens Alex. Die Apokalypse des Petrus wird freilich unge-
fähr gleichzeitig im Muratorischen Fragment erwähnt.

2) Harnack, Texte u. Unters. II, 2 S. 15, 159 f.

3) cf. Meine Schrift: Die Ignat. Briefe etc. Tübingen 1892, S. 43 f.

man annehmen mag, dass auf diese Erscheinung in Galiläa wie bei Matthäus keine weitere, vielmehr sofort die Himmelfahrt gefolgt ist. Freilich zu unserem Text in seiner gegenwärtigen, überarbeiteten Form kann der Verfasser von Barn. 15, 7—9 nicht in Beziehung stehen, denn nach unserem überarbeiteten Texte scheint der Herr direkt vom Grabe aus in den Himmel gestiegen zu sein, so dass seine Erscheinung von den Jüngern nur eine Offenbarung von oben gewesen sein kann, wie dies Schahrastani (bei Harnack S. 71) voraussetzt. Aber im ursprünglichen Text unseres Fragments dürfte die Vorstellung eine andere gewesen sein, nämlich die, dass Jesus auferstand, weggieng d. h. wie bei Matth. 28, 7 und Mrc. 16, 7 nach Galiläa vorausgieng, da den Jüngern erschien und dann gen Himmel fuhr. Wenn also überhaupt, so scheint Barn. 15, 7—9 nur zum ursprünglichen Text unseres Fragments in Beziehung zu stehen.

Mehr und deutlichere Beziehungen zu unserem Text finden sich in den späteren Bestandteilen des Briefs. In diesen Stücken spielt auch wie in unserem Text die These: »Jesus nicht der Sohn eines Menschen sondern Gottes Sohn« eine wichtige Rolle (cf. 12, 10) und wird die Frage, warum der Gottessohn im Fleisch erscheinen musste, eifrig ventiliert (cf. besonders c. 5). Wenn da (cf. auch 14, 5) auf diese Frage unter anderem die Antwort gegeben wird, »damit er das Vollmass der Sünde zusammenhäufe« denen, die seine Propheten bis in den Tod verfolgt haben«, so erinnert das stark an V. 17 unseres Textes.

Wir möchten ferner auf V. 59 und 60 unseres Textes weisen. Aus dem Zusammenhang von V. 60 mit V. 59 wird wahrscheinlich, dass Levi, Sohn des Alphäus, zu den 12 Aposteln gehörte, dass ihn also der Herr von der Zollstätte weg zum Apostel berufen hat. In den kanonischen Evangelien finden wir dies nicht. Bei Marcus (2, 13 ff.) heisst der Mann zwar auch Levi, Sohn des Alphäus, aber

er wird hier sowenig als bei Lucas (5, 27 ff.), wo er einfach Levi genannt wird, im Apostelkatalog aufgeführt
(cf. Mrc. 3, 16 ff.; Luc. 6, 12 ff.). Nur bei Matthäus (9, 9 ff.
und 10, 2 ff.) finden wir den von der Zollstätte Berufenen
unter den Aposteln genannt, aber er heisst hier nicht Levi
sondern Matthäus. Nun findet sich im Barnabasbrief 5, 9
die bekannte Stelle: »Als er aber zu seinen eigenen Aposteln, die sein Evangelium verkündigen sollten, Leute erwählte, die über alles Sündenmass ungerecht waren, damit er zeige, dass er nicht gekommen sei, Gerechte zu
berufen sondern Sünder, da offenbarte er sich als den
Sohn Gottes«. Also auch hier ist die Berufung des Zöllners
als eine Berufung zum Apostel aufgefasst wie bei Matthäus
und wie in unserem Texte. Leider nennt Barnabas den
Namen des Zöllners nicht und so lässt sich hier nicht entscheiden, ob er sich auf das Matthäusevangelium oder auf
das Petrusevangelium bezieht. Wir müssen uns begnügen,
das letztere als möglich zu konstatieren und können zu
Gunsten dieser Möglichkeit nur noch darauf weisen, dass
Barnabas die Wahl des Zöllners zum Apostel als einen
Beweis für die Gottessohnschaft Christi hervorhebt, ganz
so wie unser Text diese Gottessohnschaft überall deutlich
zu machen sucht.

Als Weissagung auf das Leiden Christi citiert Barnabas
ferner in 5, 14 die Worte aus Jes. 50, 6. 7: »Siehe ich habe
meinen Rücken den Geisseln ausgesetzt und meine Wangen
den Backenstreichen, mein Angesicht aber gemacht wie
einen harten Fels«. Von der Geisselung und den Backenstreichen wird auch in unserem Text gesprochen, doch
ist das nichts Besonderes. Dagegen ist beachtenswert,
dass Barnabas zu den auf diese Misshandlungen sich beziehenden Worten aus Jes. 50, 6 auch noch jene weiteren
Worte aus Jes. 50, 7 fügt, obgleich diese mit den ersteren
nicht unmittelbar zusammenhängen. Sollte er dabei nicht
an einen besondern Zug aus der Leidensgeschichte gedacht haben? Ist aber dies der Fall, dann erklärt sich die

Anführung jener Worte aus Jes. 50, 7 wohl am besten in Beziehung auf V. 10 unseres Textes: »Er aber schwieg, als ob er durchaus keine Pein litte«.

Insbesondere verdient nun aber c. 7 des Briefs unsere Aufmerksamkeit. Da führt der Verfasser die Thatsache an, dass der Herr am Kreuz von den Juden auch noch mit Galle und Essig getränkt wurde, also ganz dasselbe was im Unterschied von aller andern evangelischen Ueber- lieferung auch unser Text erzählt. Selbst die Worte ποτί- ζειν χολὴν μετὰ ὄξους sind bei Barnabas 7, 5 dieselben wie in unserem Texte. Der Verfasser von Barn. 7 setzt die Sache als eine bekannte voraus, die in seinem Evangelium steht. Er selbst stellt sich nur die Aufgabe, die Thatsache gelehrt zu begründen und ins Licht zu setzen. Muss man bei diesem Thatbestand nicht annehmen, das der Verfasser von Barn. 7 das Petrusevangelium vor sich gehabt hat? Gleich darauf handelt der Verfasser von den beiden Böcken und ihrer typischen Beziehung auf Christus, insbesondere von dem verfluchten Bock, der verhöhnt, gestochen, an- gespieen und dann in die Wüste gestossen wurde. Sollte der Verfasser nicht auch hier in der Anspielung, die unser Text in dem παραπεμφθῆναι und ἔνυσσον (V. 2 und 9) auf diesen Ritus enthält, den Anlass zu seiner Ausführung ge- funden haben? Dazu kommt in Betracht, dass auch der Verfasser von Barn. 7 so scharf zwischen dem Geist, der das eigentliche Wesen Christi bildet, und seinem Fleisch unterscheidet. Das letztere wird das Gefäss seines Geistes genannt. Nur dieses Gefäss seines Geistes, nur sein Fleisch hat Christus geopfert (Barn. 7, 3. 5). Das ist genau die- selbe Auffassung wie in unserem Fragment. Und zwar scheint diese Herabdrückung des Fleisches zum blossen Gefäss des Geistes noch besser zu stimmen zu der Auf- fassung im überarbeiteten Text unseres Fragments als zu der des ursprünglichen Textes.

Der Annahme, dass der Verfasser der späteren Stücke des Barnabasbriefs unsern Text bereits in der überarbeiteten

Form gekannt hat, ist auch sonst manches günstig. In erster Linie dies, dass die Gottessohnschaft Christi bei Barnabas teilweise bis zur Identificierung mit Gott selbst gesteigert erscheint. Bezeichnend in dieser Beziehung ist schon die Erklärung in 5, 10: »Wenn er nämlich nicht im Fleisch erschienen wäre, wie hätten die Menschen erhalten bleiben können bei seinem Anblick, da sie doch schon nach der Sonne hinschauend, die doch einmal nicht mehr sein wird und nur ein Werk seiner Hände ist, das Auge ihren Strahlen nicht offen entgegenzuhalten vermögen«. Da liesse sich ferner anführen 12, 7: »Auch da hast du wieder die Herrlichkeit Jesu, denn alles ist in ihm und zu ihm«. Insbesondere wäre aber auf 5, 12—14 zu weisen. Da scheint unter ὁ θεὸς, der in § 12 als der in Sach. 13, 6. 7 Redende eingeführt wird, geradezu Christus verstanden werden zu müssen, da nach §§ 13. 14 der letztere durch die alttestamentlichen Propheten redet.

Zum Beweise davon, dass der Verfasser der späteren Stücke des Barnabasbriefs unsern Text bereits in seiner überarbeiteten Form gekannt hat, wäre nun freilich zu wünschen, dass im Barnabasbrief auch Beziehungen zu der konkreten Erzählung, wie sie in der Ueberarbeitung vorliegt, sich nachweisen liessen. Einzelne Spuren solcher Beziehungen fehlen nicht. In Barnabas 6 wird mit Worten aus Ps. 21, 19 auf die Geschichte von der Verteilung der Kleider Jesu durchs Loos angespielt. Dieser Zug stammt in unserem Text vom Ueberarbeiter, aber es ist allerdings kein ihm besonders eigentümlicher Zug. Von mehr Bedeutung ist, dass in Barn. 5 als Weissagung auf die Kreuzigung das aus Ps. 21, 21 und 118, 120 zusammengesetzte Wort citiert wird: »Verschone mit dem Schwert meine Seele und nagle fest mein Fleisch«. Der Verfasser von Barn. 5 setzt also voraus, dass das Fleisch des Herrn am Kreuz mit Nägeln durchbohrt wurde. In den kanonischen Evangelien steht davon wenigstens in der Kreuzigungsgeschichte selbst nichts. Nur in den Auferstehungserzählungen bei Lucas (24, 39) und Johannes (20, 20. 25. 27) ist von der Durchbohrung der Hände oder auch Füsse Jesu die Rede. Unser Text dagegen spricht davon in dem vom Ueberarbeiter herrührenden Zusatz V. 21 ff., wo erzählt wird, dass man dem Herrn die Nägel aus den Händen zog.

Endlich könnte man noch fragen, ob der Verfasser von Barn. 12 nicht auch die Kreuzeserscheinung in unserem überarbeiteten Text gekannt hat, wenn er in dem von ihm angeführten prophetischen Wort vom Holz, das sich wiederaufrichtet und von dem Blut träufelt, das Holz d. h. Kreuz auf den Gekreuzigten selbst bezieht.

Wenn wir neben den im Vorstehenden angeführten Argumenten noch den Antijudaismus des Barnabasbriefs in Betracht ziehen, in dem sich derselbe unserem Texte d. h. dem Petrusevangelium ebenfalls verwandt zeigt, dann dürfen wir es für wahrscheinlich halten, dass der Brief vom Petrusevangelium, zu dem unser Fragment gehört, abhängig ist und dass er dasselbe nicht bloss in seiner ursprünglichen sondern selbst in seiner überarbeiteten Form voraussetzt.

Es legt sich von hier aus nun fast von selbst die Frage nahe, ob nicht auch der zweite Clemensbrief, dessen Ursprung man doch auch immer noch am ehesten in Aegypten zu suchen haben wird, Beziehungen zu unserem Text d. h. zum Petrusevangelium verrät. Dass keines unserer 4 kanonischen Evangelien seine Quelle ist, steht fest. Vielleicht dass der Brief selbst uns bezüglich des Evangeliums, das er gebraucht, einen Fingerzeig gibt. In c. 5 des Briefs wird ein Gespräch zwischen Jesus und Petrus citiert. Scheint dies nicht darauf zu weisen, dass im Evangelium, das der Briefschreiber gebraucht, Petrus eine besondere Rolle spielte, und dass dieses Evangelium vielleicht ein Petrusevangelium war? Es steht nichts im Wege, um anzunehmen, dass im Evangelium, aus der jenes Gespräch genommen ist, Petrus in der 1. Person referierte.

Wir möchten zu Gunsten unserer Vermutung speziell

noch einen Punkt hervorheben. Am Schluss des Gesprächs mit Petrus sagt Jesus nach dem zweiten Clemensbrief: καὶ ὑμεῖς μὴ φοβεῖσθε τοὺς ἀποκτέννοντας ὑμᾶς καὶ μηδὲν ὑμῖν δυναμένους ποιεῖν, ἀλλὰ φοβεῖσθε τὸν μετὰ τὸ ἀποθανεῖν ὑμᾶς ἔχοντα ἐξουσίαν ψυχῆς καὶ σώματος τοῦ βαλεῖν εἰς γέενναν πυρός. Matthäus (10, 28) und Lucas (12, 4. 5) bieten dazu Parallelen, aber doch nur entferntere. Was wir im 2. Clemensbrief lesen, scheint vielmehr aus den Worten bei Matthäus und Lucas kombiniert zu sein. Dagegen findet sich eine unmittelbare Parallele zu den Worten des 2. Clemensbriefes bei Justin (Apol. I, 19): μὴ φοβεῖσθε τοὺς ἀναιροῦντας ὑμᾶς καὶ μετὰ ταῦτα μὴ δυναμένους τι ποιῆσαι, [εἶπε], φοβήθητε δὲ τὸν μετὰ τὸ ἀποθανεῖν δυνάμενον καὶ ψυχὴν καὶ σῶμα εἰς γέενναν ἐμβαλεῖν. An Differenzen fehlt's zwar auch hier nicht. Doch lassen diese sich leicht er-klären, wenn man annimmt, dass Justin wie Clemens aus dem Gedächtnis citiert haben. So liesse sich erklären, dass Justin ἀναιροῦντας hat statt das ἀποκτέννοντας des Clemens (Mt. Luc.), ebenso dass Clemens statt des μετὰ ταῦτα μή . . . τι des Justin (Lucas) bloss μηδέν hat. Im Zusammenhang der Clemensstelle sind jene Worte des Justin fast notwendig (cf. nachher μετὰ τὸ ἀποθανεῖν bei Clemens und Justin). Der Unterschied ποιεῖν und ποιῆσαι, von φοβεῖσθε und φοβήθητε ist ebenfalls ohne Bedeutung wie auch der von δυνάμενον und ἐξουσίαν ἔχοντα oder die Weglassung oder der Zusatz von πυρός hinter γέενναν. Da-gegen stimmen Justin und Clemens überein in dem μετὰ τὸ ἀποθανεῖν gegenüber Matthäus, der nichts davon hat und gegenüber Lucas, der μετὰ τὸ ἀποκτεῖναι bietet, in der Einschiebung von ψυχὴ und σῶμα aus dem Matthäus-text und der Anwendung von ἐμβαλεῖν oder βαλεῖν εἰς aus dem Lucastext. Wo Justin und Clemens solch' eine eigen-artige Komposition des Matthäus- und Lucastextes geben, hat man wohl das Recht, für beide eine und dieselbe Evan-gelienquelle vorauszusetzen und können kleinere unwesentliche Differenzen kaum den Schluss auf 2 verschiedene Quellen rechtfertigen.

Wenn nun bei den ausserkanonischen Citaten des Justin in erster Linie an die ἀπομνημονεύματα Πέτρου zu denken ist, so ist die Uebereinstimmung des 2. Clemensbriefs mit Justin in dem besprochenen Punkte der Annahme, dass die Quelle des 2. Clemensbriefs das Petrusevangelium sei, in der That sehr günstig. Den Schluss der obenangeführten Herrnworte finden wir nun aber auch bei Clemens Alex. in den Excerpten aus Theodot (§ 14): φοβήθητε τὸν μετὰ θάνατον δυνάμενον καὶ ψυχὴν καὶ σῶμα εἰς γέενναν βαλεῖν. Das φοβήθητε und δυνάμενον καί findet sich hier geradeso wie bei Justin, woraus zu schliessen ist, dass in diesen Punkten der 2. Clemensbrief ungenau citiert. Ohne Bedeutung ist, dass die beiden Clemens gleichmässig βαλεῖν statt dem ἐμβαλεῖν des Justin (Lucas) haben. Wenn aber bei Clemens Alex. μετὰ θάνατον steht, so ist das wohl nichts anderes als eine freie Wiedergabe des μετὰ τὸ ἀποθανεῖν bei Justin und im 2. Clemensbrief.

Das Citat bei Clemens Alex. geht auf die Rechnung der anatolischen Valentinianer. Diese haben also jenes Herrnwort wesentlich in derselben von Matthäus und Lucas abweichenden Form gekannt wie Justin und der zweite Clemensbrief. Und wenn wir es schon oben nicht unwahrscheinlich gefunden haben, dass die anatolischen Valentinianer das Petrusevangelium gekannt haben, so ist das nur ein weiteres Argument zu Gunsten der Vermutung, dass auch dieses Citat sowohl bei den Valentinianern wie bei Justin und im zweiten Clemensbrief aus dem Petrusevangelium stammt.

Wenn sich von hier aus ein Zusammenhang zwischen dem Evangelium des Briefs und unserem Petrusevangelium zu ergeben scheint, so wird dieser Zusammenhang durch weitere Wahrnehmungen wahrscheinlich gemacht. Harnack[1]) hat gezeigt, dass die Quelle der ausserkanonischen

---

1) a. a. O. S. 42.

Evangeliencitate der Didaskalia das Petrusevangelium ist,
und darauf gewiesen, dass aus diesem letzteren auch das
in der Didaskalia vorkommende Herrnwort: ἀγάπη καλύπ-
τει πλῆθος ἁμαρτιῶν stammen werde (cf. 1. Pe. 4, 8). Nun
dieses Wort kennt der zweite Clemensbrief auch (16, 4).
Gleich dem Petrusevangelium ist auch unser Brief antiju-
daistisch gefärbt (c. 2) und auch die allerdings gemässigte
enkratitische Richtung des Briefs (4, 3; 8, 6; 9, 3; 12, 5; 16, 4)
ist in Uebereinstimmung mit der des Petrusevangeliums. Besonders aber tritt eine Verwandtschaft zwischen den Vorstellungen des Petrusevangeliums und denen des Briefschrei-
bers darin zu Tage, dass auch der letztere so bestimmt
zwischen dem Geistwesen, das Christus eigentlich ist, und
seinem Fleisch unterscheidet (9, 5; 14, 2. 4). Und dass die
Lehre vom Sühntod Christi in dem Brief gar keine Rolle spielt,
sollte sich das nicht gerade aus Vorstellungen erklären, wie wir
sie im Petrusevangelium finden, daraus dass Christus seinem
wahren Wesen, seinem Geistwesen nach überhaupt nicht
gelitten hat? Es scheint also manches dafür zu sprechen, dass
der Verfasser des 2. Clemensbriefs das Petrusevangelium
gekannt hat. Die Frage ist nur, ob er den ursprünglichen
Text oder den überarbeiteten vor sich hatte. Das lässt
sich kaum entscheiden. Zu Gunsten der letzteren Annahme
könnte man die Thatsache anführen, dass in dem Brief
von Christus zum Teil wie von Gott gesprochen wird (cf. 1,
1; 12, 1. 2). Es spricht also mancherlei dafür, dass die
Evangelienquelle des 2. Clemensbriefes das Petrusevangelium ist, zu dem unser Fragment gehört.

Für die Annahme, dass das Petrusevangelium in Aegypten heimisch war, können wir uns also auf den Barnabasbrief, den 2. Clemensbrief sowie auf die anatolischen Valentinianer berufen, die man doch auch zunächst in Aegypten
zu suchen haben wird. Wenn man nun aber bei einem
in Aegypten verbreiteten ausserkanonischen Evangelium
in erster Linie an das Aegypterevangelium denken muss,
so erhebt sich die Frage, ob nicht vielleicht Petrusevange-

lium und Aegypterevangelium in einem näheren Verwandt-
schaftsverhältnis gestanden haben. Gerade diese Frage
drängt sich aber auch beim Blick auf unsern Text, speziell
auf seine Ueberarbeitung auf.

Woher stammt denn diese Ueberarbeitung? Der Umstand, dass darin monarchianisch-modalistische Vorstellungen hervortreten, gibt uns einen Fingerzeig. Das Aegypterevangelium huldigte, wie wir aus Epiphanius wissen,
einer monarchianisch-modalistischen Auffassung. Epiphanius (Haer. LXII, 2) erzählt von den Sabellianern: τὴν δὲ
πᾶσαν αὐτῶν πλάνην καὶ τὴν τῆς πλάνης αὐτῶν δύναμιν
ἔχουσιν ἐξ ἀποκρύφων τινῶν, μάλιστα ἀπὸ τοῦ καλουμένου
Αἰγυπτίου εὐαγγελίου, ᾧ τινὲς τὸ ὄνομα ἐπέθεντο τοῦτο. ἐν
αὐτῷ γὰρ πολλὰ τοιαῦτα ὡς ἐν παραβύστῳ μυστηριωδῶς ἐκ
προσώπου τοῦ σωτῆρος ἀναφέρεται, ὡς αὐτοῦ δηλοῦντος τοῖς
μαθηταῖς, τὸν αὐτὸν εἶναι πατέρα, τὸν αὐτὸν εἶναι υἱόν, τὸν
αὐτὸν εἶναι ἅγιον πνεῦμα. So kommen wir zu dem Schluss,
dass unser Fragment in der Form, in der es uns vorliegt,
einen Bestandteil des Aegypterevangeliums bildet und dass
das letztere entweder mit dem Petrusevangelium identisch
oder eine Bearbeitung desselben ist.

Für diese unsere Annahme sprechen denn auch
Gründe, die von unserm Text völlig unabhängig sind. Clemens von Alexandrien polemisiert im 3. Buch seiner Stro-
mateis [1]) gegen die Anwendung, welche die Enkratiten von
einem Gespräch Jesu mit der Salome zugunsten ihrer enkratitischen Auffassung machen. Was Clemens über den
Gebrauch der betreffenden Perikope seitens der Enkratiten
sagt, stammt ohne Zweifel alles aus der Schrift περὶ ἐγκρα-
τείας ἢ περὶ εὐνουχίας des Julius Cassianus, die er bei dieser
Gelegenheit einmal ausdrücklich anführt. Aus welchem
Evangelium die Enkratiten das Gespräch Jesu mit Salome
schöpfen, weiss Clemens nicht bestimmt. Er vermutet aus
dem Aegypterevangelium. Denn da, das weiss Clemens,

---

1) III, 6 ff. Potter p. 531 ff.

nicht aber in den kanonischen Evangelien kommt das
Gespräch vor. Ob nun aber Cassian und die Enkratiten
dasselbe aus dem Aegypterevangelium haben, das ist noch
eine offene Frage. Aus dem Umstand, dass Cassian von
Clemens bezeichnet wird als ὁ τῆς δοκήσεως ἐξάρχων, dass
sein Doketentum wie sein Name auf Antiochien zu weisen
scheint, und dass unter den dortigen Doketen das Petrusevangelium im Gebrauch war, hat Z a h n ¹) die Vermutung
abgeleitet, dass die Quelle des Cassian und der Enkratiten
das Petrusevangelium gewesen sei. Das möchten auch wir
annehmen und wir möchten daraus selbst Schlüsse ableiten,
die Zahn, wie er ausdrücklich erklärt, von der Hand weisen
möchte ²).

Der Umstand, dass das Petrusevangelium und das
Aegypterevangelium dieselbe eigentümliche Perikope ent-
halten zu haben scheinen, kommt, meinen wir, unserer
Ansicht, dass zwischen dem Petrusevangelium und dem
Aegypterevangelium eine nähere Verwandtschaft besteht,
oder dass beide identisch sind, direkt entgegen.

Z a h n freilich hat zeigen wollen, dass der Text des
Gesprächs Jesu mit Salome in der Quelle Cassians und
der Enkratiten ein etwas anderer gewesen sei als derjenige
des Aegypterevangeliums, an das Clemens sich hält. Schon
der Anfang des Gesprächs soll hier und dort etwas anders
gelautet haben. Während nach den Enkratiten Salome
fragte: μέχρι πότε θάνατος ἰσχύσει; und Jesus antwortete:
μέχρις ἂν ὑμεῖς αἱ γυναῖκες τίκτητε, soll im Aegypterevangelium die Frage der Salome gelautet haben: μέχρι τίνος
οἱ ἄνθρωποι ἀποθανοῦνται; und die Antwort Jesu: μέχρις ἂν
τίκτωσιν αἱ γυναῖκες. Allein die späteren Worte Jesu zu
Salome: ὅταν τὸ τῆς αἰσχύνης ἔνδυμα πατήσητε, καὶ ὅταν γένηται τὰ δύο ἕν, καὶ τὸ ἄρρεν μετὰ τῆς θηλείας, οὔτε ἄρρεν
οὔτε θῆλυ haben doch in der Quelle der Enkratiten und
der des Clemens d. h. dem Aegypterevangelium gleich ge-

---

¹) Gesch. des Neutest. Kanons II, 2. S. 632 ff.
²) Zahn a. a. O. S. 631.

lautet, so dass man annehmen muss, dass auch jene ersten gleich gelautet haben werden, da das πατήσητε das ὑμεῖς ... τίκτητε voraussetzt. Die etwas abweichende Wiedergabe des Anfangs des Gesprächs bei Clemens würde sich dann daraus erklären, dass er an der betreffenden Stelle nur allgemein dem Sinn nach referiert, nachdem er vorher schon den genauen Wortlaut angegeben. Hätte Zahn Recht, dann hätte jedenfalls die Quelle des Clemens d. h. das Aegypterevangelium den sekundären Text.

Aber es könnte scheinen, als ob noch eine andere Differenz zwischen dem Evangelium, dem die Enkratiten das Gespräch Jesu mit Salome entnehmen, und dem Aegypterevangelium, an das Clemens sich hält, bestehe. Nachdem er des Anfangs des Gesprächs gedacht, fährt Clemens fort: τί δὲ οὐχὶ καὶ τὰ ἑξῆς τῶν πρὸς Σαλώμην εἰρημένων ἐπιφέρουσιν οἱ πάντα μᾶλλον ἢ τῷ κατὰ τὴν ἀλήθειαν εὐαγγελικῷ στοιχήσαντες κανόνι; φαμένης γὰρ αὐτῆς, Καλῶς οὖν ἐποίησα μὴ τεκοῦσα... ἀμείβεται λέγων ὁ Κύριος, Πᾶσαν φάγε βοτάνην, τὴν δὲ πικρίαν ἔχουσαν μὴ φάγῃς. Diesen letzteren Bestandteil des Gesprächs haben die Enkratiten nicht citiert. Haben sie ihn absichtlich übergangen oder haben sie ihn in ihrer Quelle überhaupt nicht gefunden? Clemens denkt nur an die erstere Möglichkeit und wir brauchen an nichts anderes zu denken. Die Weglassung der Worte seitens der Enkrateten erklärt sich vollkommen daraus, dass sie ihnen nicht passten. Für die Verwandtschaft oder Identität von Petrusevangelium und Aegypterevangelium hätten wir also hiemit bereits einen Anhaltspunkt gefunden.

Aber wir können unsere Ansicht noch weiter begründen.

Der zweite Clemensbrief scheint jenes Gespräch Jesu mit Salome ebenfalls zu kennen. Da lesen wir wenigstens 12, 2: ἐπερωτηθεὶς γὰρ αὐτὸς ὁ κύριος ὑπό τινος, πότε ἥξει αὐτοῦ ἡ βασιλεία, εἶπεν· ὅταν ἔσται τὰ δύο ἕν, καὶ τὸ ἔξω ὡς τὸ ἔσω, καὶ τὸ ἄρσεν μετὰ τῆς θηλείας, οὔτε ἄρσεν οὔτε θῆλυ. Wir haben hier also in der Hauptsache wörtlich dasselbe Herrnwort, das Cassian als einen Bestandteil des Gesprächs

Jesu mit Salome citiert, und das nach Clemens von Alexandrien im Aegyterevangelium stand. Die Differenz von
γένηται und ἔσται, von ἄρρεν und ἄρσεν hat nichts zu be-
deuten. Sie erklärt sich ohne Weiteres, wenn man annimmt, dass der Verfasser des 2. Clemensbriefs aus dem
Gedächtnis citiert. Ebensowenig darf man darauf Nach-
druck legen, dass das Citat im 2. Clemensbrief auch noch
die Worte καὶ τὸ ἔξω ὡς τὸ ἔσω enthält, die Cassian nicht
anführt. Cassian hat sie eben übergangen, weil sie in
keiner unmittelbaren Beziehung standen zu dem enkratitischen Interesse, in welchem er das Gespräch Jesu mit
Salome verwertete. So hat er ja auch nach der Versich-
erung des Clemens von Alexandrien einen andern Bestandteil des Gesprächs, der ihm nicht passte, weggelassen.
Clemens selbst aber führt den hier behandelten Teil des
Gesprächs nur nach der Relation des Cassian an und citiert ihn nicht so, wie er unmittelbar im Aegypterevangelium stand. Er hat die Weglassung des καὶ τὸ ἔξω ὡς τὸ
ἔσω bei Cassian allem nach nicht weiter beachtet oder
keinen Wert darauf gelegt.

Was aber endlich die Einleitung des Herrnworts im
2. Clemensbrief betrifft, so lässt sich auch daraus keine
Differenz gegenüber der Quelle des Cassian bezw. des
Clemens von Alexandrien ableiten. Diese Einleitung gibt
kurz und allgemein den Zusammenhang an, in welchem
Jesus jene Worte gesprochen hat. Wenn in dem, was
Cassian bezw. Clemens von Alexandrien über das Gespräch
Jesu mit Salome mitteilen, nicht unmittelbar die Frage
nach dem Reich Gottes vorkommt, so ist erstens zu be-
achten, dass sie das Gespräch nicht nach seinem ganzen
Zusammenhang wiedergeben, und sodann, dass aus dem,
was sie uns davon mitteilen, indirekt genugsam erhellt,
dass es sich dabei um die Frage nach dem Reich Gottes
gehandelt hat.

Es lässt sich also nach unserer Meinung nicht bezweifeln, dass der Verfasser des zweiten Clemensbriefs bei

jenem Citat das Gespräch Jesu mit Salome vor Augen hat, und zwar wesentlich so, wie es auch Cassian und Clemens von Alexandrien gekannt haben.

Dieses Resultat bekräftigt sowohl die Annahme, dass die Evangelienquelle des 2. Clemensbriefes das Petrusevangelium war, als diejenige, dass Petrusevangelium und Aegypterevangelium in nahem Zusammenhang standen.

Auch die anatolischen Valentinianer haben das Gespräch Jesu mit der Salome gekannt (cf. Clem. Alex. epit. e Theodoto 67). Aus welchem Evangelium haben sie es geschöpft? Wenn man die anatolischen Valentinianer doch in erster Linie in Aegypten zu suchen haben wird, wenn ferner nach Clemens Alex. jenes Gespräch im Aegypterevangelium vorkam, so wird man zunächst dieses Evangelium für die Quelle der Valentinianer halten müssen. Wenn man aber andererseits, wie oben gezeigt, Grund hat zu der Vermutung, dass die anatolischen Valentinianer das Petrusevangelium gekannt haben, legt sich dann nicht wiederum die Frage nahe, ob Petrusevangelium und Aegypterevangelium nicht ganz oder teilweise identisch sind?

Es ist noch mehr, was sich zu Gunsten unserer Ansicht anführen lässt.

In den gnostischen Petrusakten [1]) bezeichnet sich Petrus selbst als an der Abfassung des Evangeliums beteiligt. Der Verfasser dürfte also wohl von einem Petrusevangelium etwas gewusst haben. Und da ist es nun bezeichnend, dass in den Akten nicht bloss Spekulationen über das Kreuz = Christus sich finden, die an das Kreuz in der Ueberarbeitung unseres Textes erinnern, sondern dass man darin auch dieselbe, den Unterschied zwischen Gott, Christus und Geist verwischende modalistische Auffassung antrifft, die wir einerseits in der Ueberarbeitung unseres Textes wahrzunehmen meinen, und die andererseits von Epiphanius als das charakteristische Kennzeichen des Aegypterevange-

---

1) vgl. zum Folgenden Zahn, Gesch. des Neut. Kan. II, S. 832 ff.: die gnostischen Akten des Petrus.

liums angegeben wird. Zudem finden wir in den Akten
ein Herrnwort [1]), das sich dem vom Herrn zu Salome ge-
sprochenen, nach Clemens im Aegypterevangelium vor-
kommenden Wort sehr verwandt zeigt, und das den Eindruck macht, entweder demselben nachgebildet zu sein
oder mit ihm derselben Quelle zu entstammen.

Unsere Annahme, dass das Aegypterevangelium mit
dem Petrusevangelium verwandt oder wohl geradezu identisch sei, erhält damit eine neue Stütze.

Endlich möchten wir noch Folgendes geltend machen.
In erster Linie möchten wir darauf weisen, dass Clemens
von Alexandrien eine ganze Anzahl ausserkanonischer
Schriften, insbesondere auch die Apokalypse und das
Kerygma des Petrus anführt und gebraucht, aber nie-
mals das Petrusevangelium nennt. Von ausserkanonischen
Evangelien nennt er nur das Aegypterevangelium und Hebräerevangelium. Wenn nun Clemens zu verschiedenen
ausserkanonischen Citaten der Didaskalia, die, wie bemerkt, vermutlich dem Petrusevangelium entstammen, Parallelen bietet [2]), so stammen dieselben entweder aus dem
Hebräerevangelium oder wahrscheinlich dem Aegypterevangelium, was wiederum ein für die Verwandtschaft von
Petrusevangelium und Aegypterevangelium günstiges Mo-
ment ist.

Origenes [3]) nennt an der Stelle, wo er über die ausserkanonischen Evangelien spricht, eine ganze Anzahl solcher,
in erster Linie das Aegypterevangelium, aber vom Petrusevangelium schweigt er da gänzlich. Dagegen erwähnt
er das Petrusevangelium einmal an einer andern Stelle [4]).
Sollte er da nicht einfach das Aegypterevangelium meinen

---

1) περὶ ὧν ὁ κύριος ἐν μυστηρίῳ λέγει· ἐὰν μὴ ποιήσητε τὰ δεξιὰ ὡς
τὰ ἀριστερὰ καὶ τὰ ἀριστερὰ ὡς τὰ δεξιὰ καὶ τὰ ἄνω ὡς τὰ κάτω καὶ τὰ
ὀπίσω ὡς τὰ ἔμπροσθεν, οὐ μὴ ἐπιγνῶτε [εἰσέλθητε εἰς] τὴν βασιλείαν [τῶν
οὐρανῶν]. Acta app. ed. Lipsius et. Bonnet 1891, I. p. 94.

2) Harnack a. a. O. S. 42.

3) Hom. 1 in Luc.

4) in Mt. T. X, 17.

und dasselbe nur mit einem andern Namen, und zwar
wohl seinem eigentlichen Namen bezeichnen? An der
ersteren Stelle spricht Origenes zwar von τὸ ἐπιγεγραμμένον
κατὰ Αἰγυπτίους εὐαγγέλιον (ähnlich Hippolyt, Phil. V, 7),
allein Epiphanius spricht nur vom sogenannten Aegypterevangelium und bemerkt ausdrücklich, dass einige ihm
diesen Namen gegeben hätten. Er setzt also voraus, dass
es noch einen andern Namen hatte, ja dass sein eigent-
licher Name ein anderer war. Das ist auch an sich wahrscheinlich. Der Name Aegypterevangelium bezeichnet ja
nur das Verbreitungsgebiet oder die Bestimmungssphäre
dieses Evangeliums, nicht die Autorität, auf welche es
sich stützte. Eine solche womöglich apostolische Autorität muss aber das Aegypterevangelium doch jedenfalls für
sich in Anspruch genommen haben. Und welcher Name
bietet sich nun nach den vorstehenden Ausführungen mehr
an als der des Petrus?

Es sei zum Schluss überhaupt noch hervorgehoben,
dass nirgends in der ganzen altchristlichen Litteratur das
Petrusevangelium und das Aegypterevangelium nebeneinander genannt werden. Eusebius (h. e. III, 3, 2 und VI, 12)
spricht nur vom Petrusevangelium. Hieronymus nennt einmal (v. ill. I. 41) das Petrusevangelium, ein andermal (Praef.
in Mt.) das Aegypterevangelium, aber an ersterer Stelle
schreibt er den Eusebius, an letzterer den Origenes aus.

Was wir also vermuten möchten, ist dies, dass das
Aegypterevangelium die Bearbeitung eines älteren Petrusevangeliums ist, dass aber das Aegypterevangelium selbst
die Autorität des Petrus festgehalten hat, selbst immer
noch ein Petrusevangelium sein wollte. Das κατ᾽ Αἰγυπτίους
ist eine Bezeichnung, die wohl erst das überarbeitete Evangelium bekommen hat. Vielleicht dass es sich damit von
dem älteren Petrusevangelium unterscheiden und bei den
Aegyptern als das für sie bestimmte Evangelium besonders
empfehlen wollte. Vielleicht auch, dass dem Namen nur
die Thatsache seiner Verbreitung in Aegypten zu Grunde

liegt. Je nachdem man wollte, konnte man das überarbeitete Evangelium Petrusevangelium oder Aegypterevangelium nennen. In unserem Fragment aber haben
wir einen Bestandteil des überarbeiteten Evangeliums, des
zum Aegypterevangelium umgestalteten Petrusevangeliums.
Als Heimat des ursprünglichen wie des überarbeiteten
Evangeliums betrachten wir Aegypten, doch möchten wir
die Möglichkeit offen halten, dass der ursprüngliche Text
in Syrien entstanden ist und in Aegypten dann seine Um-
arbeitung erfahren hat.

Ist unsere Annahme richtig, dann haben wir viel mehr
Aussicht, von dem Evangelium, zu dem unser Fragment
gehört, uns ein genaueres Bild zu machen. Denn dann
fliessen die Quellen reichlicher. Und über den Fund selbst
geht uns ebenfalls ein Licht auf. Denn dass von einem
Evangelium, das die Sabellianer gebrauchen konnten, und
das in Aegypten grosse Verbreitung hatte, sich verhält-
nismässig leicht begreifen lässt, dass es in Aegypten so
lange sich halten konnte, der Handschrift zufolge bis ins
8. oder gar 12. Jahrhundert [1]), liegt, meine ich, auf der Hand.

Was ich im Vorstehenden geben wollte, sind ergänzende
Betrachtungen zu dem, was bisher über das neu entdeckte
Evangelienfragment geschrieben worden ist. Obschon mich
andere Arbeiten augenblicklich an einer umfassenderen
Behandlung der Sache hindern, wollte ich doch mit diesen
Gedanken nicht zurückhalten. Vielleicht dass dieselben
der weiteren Forschung einige Anregungen bieten.

---

[1]) So bestimmt Bouriant das Alter der Handschrift.

CPSIA information can be obtained
at www.ICGtesting.com
Printed in the USA
BVHW05s1044300718
523023BV00027B/1244/P